Karin König/Hanne Straube/
Kamil Taylan

Oya

Fremde Heimat Türkei

Deutscher Taschenbuch Verlag

Dieser Titel erschien auch in französischer Übersetzung und in Dänemark als Schulbuchausgabe in deutscher Sprache.

Von Karin König ist außerdem bei dtv junior erschienen:
Ich fühl mich so fifty-fifty, dtv pocket 78020

Originalausgabe
Bearbeitete Neuausgabe nach den Regeln der Rechtschreibreform, Stand 1996
12. Auflage Februar 1998

Umschlaggestaltung: Jorge Schmidt, Tabea Dietrich unter Verwendung eines Fotos von Jan Roeder
Gesetzt aus der Garamond 11/13
Gesamtherstellung: Kösel, Kempten
Printed in Germany · ISBN 3-423-07887-1

Inhalt

Ankündigung

»Dein Vater kommt! Zieh dich an, wir müssten schon längst weg sein«, sagte meine Mutter.

›Freitag‹, dachte ich, endlich war die Woche wieder fast vorbei. Zwei freie Tage ohne Putzjob am Nachmittag lagen vor mir. Ich hasste dieses Putzen jeden Nachmittag. Montags, mittwochs und freitags bei der Gewerkschaft, dienstags und donnerstags im Büro der Turkish Airlines; ohne dass ich dafür einen Pfennig zu sehen bekam. Alles wurde für die Aussteuer und das Haus in Istanbul beiseite gelegt. Seit ich mich erinnern kann, sparen wir für die Türkei.

Ich zog meine Jeans, das Sweatshirt und die Turnschuhe an, aber ausnahmsweise kam der übliche Ruf meiner Mutter »Oya, schlaf nicht ein!« heute nicht. Im Gang hörte ich, dass sich meine Eltern aufgeregt in der Küche unterhielten. Als ich eintrat, sah ich meine Mutter strahlend und mit Tränen in den Augen dasitzen. Ich bekam gerade noch mit, wie sie zu meinem Vater sagte: »Osman, wie soll ich das alles in sechs Wochen schaffen?«

Freudig lächelte meine Mutter mir zu: »Oya, stell dir vor, in sechs Wochen sind wir schon in Istanbul, und zwar für immer, wenn Gott will, Inschallah. Kind, freust du dich?«

Ich brachte kein Wort heraus.

Jetzt waren wir also auch dran! Zuerst war es die Familie von Nurcan, dann die Familie von Ayse aus der Parallelklasse und jetzt gingen wir zurück. Seit Monaten sprachen meine Eltern von nichts anderem mehr als von der sogenannten Rückkehr in die Heimat. Viel Geld sollte mein Vater bekommen, wenn er der Abfindung der Firma zustimmte. Außerdem würde er eine Menge Geld von der deutschen Regierung erhalten, sagten die Verwandten und der Sozialberater bei der Gewerkschaft.

»Ich habe schon unterschrieben. Es ist alles endgültig! Bis zum 1. Juli müssen wir Deutschland verlassen haben. Aber jetzt gehen wir erst mal putzen.«

Mein Vater hatte die Entscheidung im türkischen Teehaus gefällt, wo er sich jeden Nachmittag nach der Arbeit mit seinen Freunden traf. Entscheidungen sind bei uns Türken Männersache und sie fallen in der Regel im Café, zwischen zwei Tavla-Spielen, das die Deutschen Backgammon nennen. Im Teehaus sind Frauen unerwünscht.

Beim Putzen versuchte ich in aller Ruhe über die Zukunft nachzudenken. Wie sollte es mit der Schule weitergehen? Ich war schon an der Berufsfachschule angemeldet, ich wollte – wie meine Schwägerin Ayten – Krankenschwester werden. Das war schon immer mein Traumberuf gewesen.

Und jetzt? Wie sollte ich in der Türkei ohne meine Freundinnen auskommen? Ich hatte ja gesehen, wie es mit Ayse und Nurcan gegangen ist. Zuerst haben wir uns noch oft geschrieben, dann ist die Verbindung eingeschlafen. Ehrlich gesagt, ich war einfach zu faul zum Schreiben gewesen. Die Probleme, die sie in der Türkei hatten, waren mir sehr fremd. Ayse, die nie heiraten wollte, schrieb plötzlich nur von ihren Hochzeitsvorbereitungen und der Aussteuer, die sie noch zu besticken hätte. Und bei Nurcan ging es nur noch um das Auto ihres Verlobten...

Im Urlaub ist es in der Türkei eigentlich immer ganz schön gewesen. Sonne, Meer und dauernd wurden Feste gefeiert. Die Wohnung, die mein Vater dort für uns gebaut hat, ist auch nicht schlecht. Auf jeden Fall größer und schöner als unsere Wohnung in Deutschland. Putzen bräuchte ich dann auch nicht mehr. Aber das Leben in der Türkei war so anders. In welche Schule sollte ich gehen? O je, türkische Geschichte und türkische Literatur! Ayse schrieb in ihrem Brief, dass sie in vielen Fächern nur »Bahnhof« verstünde. Mir würde es sicher nicht anders gehen. Den muttersprachlichen Unterricht hatte ich nämlich immer geschwänzt, weil uns der türkische Lehrer vom Konsulat geschlagen hat.

»Oya, du trödelst wieder.« Die Stimme meiner Mutter riss mich aus meinen Gedanken. »Wir wollen hier nicht die Nacht verbringen. Du musst noch die Aschenbecher ausleeren, dann ist Schluss für heute.«

Mechanisch erledigte ich die Arbeit. Ich musste heute noch mit meinem Vater über die Schule sprechen. Das war mir klar geworden.

Gleich nach dem Abendessen ergriff ich die Gelegenheit. Mein Bruder Avni, der bei Opel in Rüsselsheim arbeitet, und seine Frau Ayten saßen mit am Tisch.

»Was wird in der Türkei aus meiner Ausbildung, Vater?«, fragte ich.

»Was für eine Ausbildung?« Mein Vater sah mich verwundert an. »Mädchen brauchen in der Türkei keinen Beruf. Du warst lange genug in der Schule. Nun musst du eine gute Hausfrau werden, da hast du allerdings noch einiges dazuzulernen. Die türkischen Sitten sind dir in Deutschland ganz fremd geworden. Schau, dein Bruder hat keinen Raki mehr in seinem Glas. Nicht mal das siehst du! Außerdem wird es bald damit vorbei sein, dass du mit uns Männern am selben Tisch sitzt.«

»Vater, ich kann mir meinen Raki selber einschenken«, kam mir mein Bruder zu Hilfe. »Lass doch Oya bei uns sitzen. In der Türkei ist es auch nicht mehr so streng. Wir müssen ja in Deutschland nicht türkischer sein als in der Türkei. Außerdem finde ich es richtig, dass Oya einen Beruf erlernen will. Schon unser Prophet Mohammed sagte, dass man von der Wiege bis zum Grab lernen soll. Sieh dir Ayten an. Wenn sie nicht arbeiten würde, könnten wir uns das Auto nicht mehr leisten, von der Video-Anlage ganz zu schweigen.«

»Ach, du bist auch ein halber Deutscher geworden«, entgegnete mein Vater. »Eine Rückkehr in die Türkei würde dir auch gut tun. Der Platz der Frau ist am Kochtopf.«

»Das war einmal«, widersprach Ayten, »heutzutage arbeiten in der Türkei auch die Frauen. Schließlich hat auch deine Frau jahrelang am Fließband gestanden. Wir könnten Oya auch hier behalten, damit sie erst einmal ihre Ausbildung machen kann.«

»Mein Kind kommt mit!«, erwiderte mein Vater. »Es reicht mir schon, wenn der älteste Sohn hier bleibt. Wie kann ich in der Türkei den Nachbarn ins Gesicht sehen, wenn die unverheiratete Tochter in der Fremde bleibt. Die Ehre der Familie wäre befleckt, mein Ansehen wäre dahin und für Oya würde ich keinen Mann mehr finden. – Oya kommt mit«, sagte Vater noch einmal mit Bestimmtheit.

»Vater, du weißt doch, warum ich nicht in die Türkei zurückgehe«, ergriff mein Bruder das Wort. »Ich bin inzwischen Vorarbeiter und eine solch gut bezahlte Arbeit bekomme ich in der Türkei nie.« Und als mein Vater schwieg, fügte Avni hinzu: »Ich habe einfach noch nicht genug gespart um heimkehren zu können.«

»Ja, ja...«, sagte mein Vater besänftigend. »Außerdem will ich heute nicht mehr über den

Beruf der Tochter sprechen. Komm, jetzt machen wir es uns gemütlich, steck die Kassette in den Videorecorder! Ich habe einen tollen Film mitgebracht. Frau, mach uns einen Kaffee!«

Mutter verschwand in der Küche. Niedergeschlagen folgte ich ihr mit Ayten. Mein Problem mit der Schule war an diesem Abend nicht gelöst worden.

»Ich spreche noch mal mit ihm, wenn die Situation günstiger ist«, tröstete mich meine Mutter. »Du musst uns auch verstehen, Kind! Endlich erfüllt sich unser Traum. Vielleicht kannst du ja in der Türkei morgens zur Schule gehen und nachmittags zeige ich dir, was du alles im Haushalt lernen musst um eine gute Hausfrau zu werden.«

In dieser Nacht schlief ich schlecht. Meine Schwester Derya schien im Schlaf zu lächeln. Mit ihren neun Jahren ahnte sie nicht, was auf uns zukam. Wie sollte sie in der Türkei die Schule schaffen, wenn sie noch nicht mal beim türkischen Metzger an der Ecke Hammelkoteletts kaufen konnte? Ihr Türkisch war ein einziges Kauderwelsch. Ich musste unbedingt am Montag mit Frau Schneider, meiner Lehrerin, sprechen. Sie musste mir helfen.

Am nächsten Morgen erzählte meine Mutter, dass sie die ganze Nacht kein Auge zugemacht habe. Sie hatte überlegt, was in den nächsten sechs Wochen alles zu erledigen war. Wie üblich ging mein Vater samstags gleich nach dem Frühstück ins Teehaus. Meine Mutter gab mir Zettel und Bleistift, damit ich aufschrieb, was ihr in der Nacht eingefallen war. Meine Mutter kann nämlich weder lesen noch schreiben. So braucht sie mich immer, wenn es etwas aufzuschreiben gibt. Sie hatte ganz genaue Vorstellungen, was wir für unsere Wohnung in Istanbul besorgen mussten. Während sie mir diktierte, blickte sie immer wieder zur Decke, als käme ihr von dort die »Erleuchtung«. Es waren lauter teure Sachen, die ich aufschreiben musste. ›Wer soll das alles bezahlen‹, dachte ich, sagte aber nichts. Ich habe diese Liste bis heute aufgehoben:

Sitzgarnitur mit Beistelltischchen	Pfannen
Herd	Geschirr
Töpfe	Teppiche
Matratzen	Waschmaschine
Föhn	Bettwäsche
Mikrowellenherd	Tischdecken und passende Servietten
Gardinen	Nähmaschine

Diese Dinge mussten also unbedingt gekauft werden, obwohl wir sie bereits besaßen. Doch wenn man aus Deutschland in die Türkei zurückkehrt, erwarten die Nachbarn und Freunde dort, dass alles vom Neuesten und Besten ist, was man mitbringt. Als ich fragte, ob wir auch neue Kleider brauchten, winkte Mutter ab. Auch wollte sie nichts von Geschenken für Nachbarn und Freunde wissen. »Das macht Vater sowieso selbst«, sagte sie, »er will sicher auch die Lebensmittel besorgen.« Also brauchte ich diese Dinge nicht auf die Liste zu setzen. Ich überlegte, wie wir das alles transportieren sollten.

Mein Vater kam am Mittag unerwartet früh zurück. Ein Freund von ihm schleppte einen Fernseher und ein Videogerät.

»Unsere Anlage bekommt Avni«, erklärte Vater. »Wir nehmen die neuen Geräte mit. Diese Kisten bleiben bis zur Abreise im Schlafzimmer stehen. Wo ist deine Mutter?«, fragte er mich.

»Sie ist in die Stadt gegangen. Hier ist ihre Einkaufsliste für die Türkei«, antwortete ich.

Mein Vater überflog die Aufstellung. »Wer soll das alles bezahlen?«, sagte er unwillig. »Außerdem müssen wir viele Geschenke mitbringen. Darum muss ich mich anscheinend selbst kümmern. Ich gehe gleich los und kaufe schon mal ein Geschenk für deinen Cousin Ahmet. Im Discount-Laden habe ich eine Uhr mit Taschenrechner gesehen. Ahmet ist Bankdirektor, er braucht so etwas.«

»Warum als Erstes ein Geschenk für Ahmet und nicht für die Großeltern?«, fragte ich erstaunt.

»Misch dich nicht ein!«, fuhr mich mein Vater an. »Ich muss jetzt gehen. Sag deiner Mutter, sie soll für heute Abend etwas Besonderes kochen. Wir bekommen Besuch aus der Nachbarschaft.«

Endlich waren alle weg! Ich musste noch die Küche putzen. Derya war auf dem Spielplatz. Eine günstige Gelegenheit die Kassette von Prince zu hören, die mir Peter, unser Nachbar, geschenkt hatte. Er wohnte einen Stock höher in der Mansarde und studierte Türkisch an der Universität. Peter beherrschte unsere Sprache wesentlich besser als ich. Seine Eltern haben lange Zeit in der Türkei als Lehrer an der Deutschen Schule gearbeitet. Hin und wieder hat er für meine Eltern Formulare für die deutschen Behörden ausgefüllt. Dafür wurde er häufig von uns zum Essen eingeladen.

Peter war ganz anders als die Deutschen in meiner Klasse. Diese wollen mit uns Türken meist nichts zu tun haben. Drückt man sich einmal falsch aus, so heißt es gleich: »Lern doch erst einmal Deutsch.« Unsere Sitten akzeptieren sie nicht. Immer wieder fragen sie: »Warum esst ihr kein Schweinefleisch, warum tragen eure Mütter Kopftücher, warum hockt ihr immer zu Hause?«

Wenn ich ihnen das erkläre, dann heißt es nur: »Ihr seid schön blöd, dass ihr euch das gefallen lasst. Ihr seid doch hier in Deutschland. Was kann euch schon passieren?«

Peter aber verstand unsere Sitten und Gebräuche. Er sieht auch gar nicht deutsch aus. Nicht mal blonde Haare und blaue Augen hat er! Er gefiel mir ganz gut. Aber eine nähere Freundschaft mit einem Jungen hätten meine Eltern nie erlaubt. Schon gar nicht mit einem Deutschen! Ich war ihnen sowieso schon zu deutsch! Den Deutschen war ich zu türkisch. Manchmal wusste ich selbst nicht mehr, wer ich eigentlich war und wo ich hingehörte. Ich war halb so und halb so, die Grenze lief durch mich hindurch.

Es klingelte. Meine Mutter stand unten am Hauseingang, mit Tüten bepackt. Neben ihr Derya, heulend und mit blutenden Knien. Ich flitzte die Treppe hinunter. »Was hast du denn, bist du hingefallen?«

Derya schluchzte bitterlich.

»Hier, nimm die Tüten und geh schon hoch. Die deutschen Jungens haben sie mal wieder geärgert und einer hat sie von der Schaukel geschubst«, rief Mutter. »Was musst du auch immer auf den Spielplatz gehen«, sagte sie zu Derya gewandt. »Warum spielst du nicht zu Hause?«

Ich war sauer. Diese deutschen Feiglinge suchten sich immer die kleinen Türkenkinder raus und ihre Eltern sagten nichts dazu. Als ich mich einmal bei der Nachbarin darüber beschwerte, dass ihr Sohn in meinem Beisein »Türken raus« an die Hauswand geschrieben hatte, sagte sie ganz frech: »Wenn es euch hier nicht passt, dann geht doch dahin, wo ihr herkommt. Ihr nehmt uns hier nur die Arbeitsplätze weg. Mein Mann ist schon seit Jahren arbeitslos, doch in seiner alten Firma arbeiten viele Türken.«

Das war das erste und letzte Mal, dass ich mit der Nachbarin gesprochen habe.

Den Nachmittag verbrachte ich damit, meiner Mutter beim Kochen zu helfen. Zehn Leute sollten zum Essen kommen, da gab es einiges vorzubereiten. Derya musste Spinat waschen und den Salat putzen und vergaß dabei ihren Kummer.

Als wir endlich fertig waren, kam mein Vater schwer bepackt nach Hause.

»Derya, geh und lade Peter ein. Beeile dich. Er muss uns bei den Zollformularen helfen.«

Beim Abendessen waren alle Frauen in der Küche versammelt. Die Männer saßen im Wohnzimmer am Tisch. Wenn Besuch da war, aßen wir Frauen immer in der Küche, nachdem wir die Männer bewirtet hatten. Während des Essens erzählte mein Vater stolz, dass wir jetzt für immer in die Türkei zurückgingen. Da die Türen offen standen, konnte ich alles mit anhören. Die Frauen gaben meiner Mutter Tips, was sie alles mitnehmen sollte. Eine wusste es besser als die andere.

»Osman, warum willst du unbedingt zurückgehen? In der Türkei wird doch auch alles teurer«, hörte ich unseren Nachbarn Hasan fragen.

»Ich habe es einfach satt, immer nur Fremder zu sein. Ich will nicht ständig Angst haben aufzufallen, nur weil ich anders aussehe und nicht so gut Deutsch spreche. Die Feindseligkeit gegenüber Ausländern nimmt zu, das kannst du überall lesen und hören. Vorige Woche ist mein Arbeitskollege Hakki an der Bushaltestelle von Glatzköpfen zusammengeschlagen worden. Die Polizei ist gar nicht erst gekommen. Sie hatte angeblich zu viel zu tun.«

»Aber was wirst du denn in Istanbul machen? Wo wollt ihr wohnen?«, fragte Nachbar Hasan.

»Ich habe doch vor drei Jahren in Istanbul, in Okmeydani gebaut, ganz bei euch in der Nähe. Da habe ich eine Wohnung und darunter einen Laden. In dem Laden ist ein Teehaus, das ein Pächter betreut. Dem kündige ich jetzt, er hat sowieso seine Miete nicht regelmäßig bezahlt. Die Miete hat mein Vater eingetrieben. Meine Eltern konnten die Mieteinnahmen gut gebrauchen. Ja, und dem Mieter in unserer Wohnung habe ich heute telegrafisch gekündigt. Diese Familie muss sich etwas anderes suchen. Sie haben ja noch sechs Wochen Zeit.«

»Was willst du mit dem Teehaus machen?«, fragte Ömer, ein Freund meines Vaters. »Willst du selbst dort arbeiten?«

»Es gibt schon zu viele Teehäuser in der Gegend«, antwortete mein Vater. »Damit kann man kein Geld mehr machen. Die Zukunft liegt im Supermarkt. Letztes Jahr im Urlaub habe ich mich schon erkundigt. Regale und Kühlschränke kann ich in der Türkei günstig kaufen, ein paar Einkaufswagen und eine elektronische Registrierkasse nehme ich von hier mit. Ich werde hinter der Kasse sitzen und endlich mein eigener Chef sein. Lange genug habe ich hier für deutsche Chefs am Fließband geschuftet. Nun bin ich nicht mehr der Gesündeste. Du hättest mich vor zwanzig Jahren sehen sollen, da war ich stark wie ein Löwe. Ich habe es mir redlich verdient andere für mich arbeiten zu lassen. Für den Verkauf stelle ich einen Jungen aus der Nachbarschaft ein. Der wird froh sein, wenn er sich etwas verdienen kann.«

»Kann dir dein Sohn Ali nicht im Geschäft helfen? Er ist schließlich schon achtzehn und hat Abitur gemacht. Außerdem brauchst du auch jemanden, der sich in der Türkei und besonders in Istanbul auskennt. Du weißt, die Deutschland-Türken werden gerne übers Ohr gehauen«, warf der Nachbar Mehmet, der in Frankfurt eine Änderungsschneiderei hatte, ein.

»Ali studiert doch seit letztem Jahr an der Marmara Universität«, gab mein Vater zur Antwort. »Er kann nur in den Ferien im Geschäft helfen. Abgesehen davon weißt du doch selbst, Mehmet, dass junge Männer frei sein müssen. Jugend muss raus, das Leben genießen. Ali soll es besser haben als ich. Mit zwölf Jahren musste ich schon Schafe hüten, mit einundzwanzig, nach dem Militärdienst, kam ich nach Deutschland in die Fabrik.«

»Was wird aus deinen Töchtern? In welche Schule sollen sie gehen, Osman Bey?«, fragte Peter auf Türkisch.

»Schulen gibt es in unserem Viertel genügend«, erwiderte Vater ausweichend. »Derya wird in die normale türkische Schule gehen.«

»Wird sie das überhaupt schaffen? Sie kann doch kaum Türkisch.« Peter ließ nicht locker.

»Du hast auch schnell Türkisch gelernt, Peter.

Außerdem wird es Zeit, dass sie jetzt endlich ihre Muttersprache richtig lernt.«

»Und was wird aus Oya?«, fragte Peter weiter.

»Oya? Die war lange genug auf der Schule. Sie kann der Mutter im Haushalt oder mir im Geschäft helfen. Arbeit gibt es genug.«

»Aber sie ist doch so gut in der Schule. Mit ihren Deutschkenntnissen könnte sie durchaus auf die Deutsche Schule gehen. Ich war als Kind auch auf der Deutschen Schule in Istanbul. Meine Eltern könnten eine Empfehlung für den Direktor schreiben, das würde bestimmt helfen.«

»Mal sehen. Peter, fülle jetzt bitte die Formulare und meinen Rentenbescheid aus. Meinen Rentenanteil bekomme ich zwar erst, wenn wir in der Türkei sind, aber vorher muss alles eingereicht sein. Die Kündigung für die Putzstelle meiner Frau schreibst du dann morgen. Für unsere Wohnung haben wir einen Nachmieter. Ich habe schon mit dem Hausbesitzer gesprochen, es geht alles in Ordnung.« Vater blickte zufrieden in die Runde.

Peter füllte für den Rest des Abends Formulare aus, während die Nachbarn und meine Eltern einen Videofilm anschauten. Ich half Peter, da er nicht alle Namen und Geburtsdaten der Familie wusste. Es war schön in seiner Nähe zu sitzen.

Montag früh ging ich in der ersten großen Pause zu Frau Schneider, meiner Klassenlehrerin. Sie hatte immer für alles Verständnis und kannte die

Türkei gut. Jeden Sommer fuhr sie nach Bodrum ans Meer. Ich erzählte ihr von meinen Sorgen. Frau Schneider versprach mir noch am selben Abend mit meinem Vater zu sprechen.

»Ich habe euch etwas Trauriges mitzuteilen«, verkündete Frau Schneider meiner Klasse am Anfang der nächsten Stunde. »Unsere Oya verlässt uns. Ihre Familie kehrt in die Heimat zurück.«

»Endlich ein Kanakenweib weniger«, flüsterte Christian in der Bank hinter mir.

Mir schossen die Tränen in die Augen. Ich wusste, dass er mich nicht leiden konnte, aber diese Gemeinheit hätte ich ihm nicht zugetraut. Ich wurde sehr traurig. Frau Schneider hatte Christians Worte nicht gehört. Und die, die sie gehört hatten, schwiegen. Zum ersten Mal war ich froh, dass wir in die Türkei zurückgingen. Schade, dass Cornelia, meine beste Freundin, heute krank war. Sie hätte Christian sicher eine gescheuert.

Gegen Abend, nach dem Putzen, kam Frau Schneider bei uns vorbei. Mein Vater war über ihren Besuch sichtlich beunruhigt.

»Oya, was will die denn hier?«, fragte er mich auf Türkisch.

»Sie kommt wegen der Schule«, antwortete ich.

Meine Mutter verschwand in der Küche um Tee zu kochen und ich holte Chips und Bonbons aus der Glasvitrine. Derya zeigte Frau Schneider gerade die Familienfotos, als Mutter mit dem Tee kam. Sie hatte extra ein besonders schönes Kleid angezogen.

Frau Schneider wandte sich an meine Eltern und sagte: »Ich habe gehört, dass Sie jetzt wirklich in Ihre Heimat zurückkehren wollen. Darüber sind Sie sicher sehr glücklich.«

»Ja«, strahlte meine Mutter, »ich bin sehr froh wieder in meine Heimat zurückzukehren. Ich weiß gar nicht, wo die fünfundzwanzig Jahre geblieben sind. Eigentlich wollten wir nur fünf Jahre in Deutschland bleiben, aber nie reichte das Geld für die Rückkehr. Aber auch wegen der Kinder sind wir geblieben, sie sollten erst einmal die Schule fertig machen. Aber ich war in all den Jahren krank vor Heimweh.« Meine Mutter seufzte. »Ich hatte vor allem Sehnsucht nach meinen Eltern. Wenn ich mit meinen Kopfschmerzen zum Arzt ging, sagte er: ›Ihnen fehlt die Wärme der Türkei, die Sonne, die frische Luft.‹ Dann verschrieb er mir jedesmal neue Tabletten. ›Ich würde Ihnen lieber eine Kur in der Türkei verschreiben‹, meinte er dann.«

So viel redete meine Mutter sonst nie. Ich hatte Mühe mit dem Übersetzen nachzukommen. So fröhlich hatte ich sie schon lange nicht mehr gesehen, vom vielen Erzählen hatte sie rote Wangen bekommen und ihre Augen strahlten. Erstaunt stellte ich fest, dass ich eigentlich eine hübsche Mutter hatte. Frau Schneider schien es auch bei uns zu gefallen.

»Ich werde Sie auf jeden Fall nächsten Sommer in der Türkei besuchen«, sagte sie ganz spontan.

»Ja, kommen Sie zu uns. Unser Haus wird auch Ihres sein«, versprach meine Mutter, »dann können Sie sehen, dass wir Türken zu leben verstehen. Ich werde unsere schönsten Gerichte für Sie kochen: Paprika, Tomaten, Hammelfleisch, Hühnchen, bei uns schmeckt alles viel kräftiger. Hier finde ich das Essen oft so fade.«

Frau Schneider nickte zustimmend, als ich mit dem Übersetzen fertig war und lehnte sich entspannt zurück.

»Wir machen großes Fest, wenn Sie kommen. Extra Hammel schlachten. Sie müssen Mann mitbringen«, sagte mein Vater in holprigem Deutsch, dafür aber sehr bestimmt.

»Was wird aus Oya werden?«, lenkte Frau Schneider das Gespräch auf den Zweck ihres Besuches. »Sie ist eine meiner besten Schülerinnen. Ich lasse sie nur ungern gehen. Oya wollte doch Krankenschwester werden. Es wäre schade, wenn sie bei ihrer Begabung in der Türkei nicht mehr in die Schule ginge.«

Ich übersetzte alles ganz genau, was Frau Schneider gesagt hatte. Meine Eltern hörten aufmerksam zu. Sie hatten nicht gewusst, dass ich eine so gute Schülerin war.

»Oya wollen wir auf die Deutsche Schule in Istanbul schicken«, sagte mein Vater. »Unser Nachbar Peter war selbst dort und wird dem Direktor einen Brief schreiben.« Damit war das Thema für ihn erledigt. »Oya, frage deine Lehrerin, ob sie ein Bier möchte.«

Frau Schneider lehnte dankend ab und wandte sich an mich: »Oya, jetzt bin ich beruhigt, auf der Deutschen Schule machst du bestimmt deinen Weg.«

Nachdem sie gegangen war, sagte mein Vater: »Du hättest deiner Lehrerin nicht alles zu erzählen brauchen. Ich habe mir gestern Abend überlegt, dass du noch eine Weile in eine türkische Schule gehen solltest, damit du deine Muttersprache lernst.«

Die letzten Wochen in Deutschland gingen sehr schnell vorüber. In der Schule musste ich nicht mehr viel machen und Cornelia, meine Freundin, hatte auch keine große Lust mehr am Unterricht teilzunehmen. Es stand schon lange fest, dass sie sitzen bleiben würde. Wir schwänzten oft die Schule und lungerten im McDonald's herum. Eines Tages trafen wir zufällig Peter auf der Straße. Er kam gerade von einer Vorlesung und lud uns zu einem Eiscafé ein. Dabei erzählte er, dass er schon mit seinen Eltern gesprochen habe und dass sie an den Direktor der Deutschen Schule schreiben würden.

Ich war glücklich.

Cornelia zwickte mich in den Arm und flüsterte mir zu: »Toller Typ, den würde ich mir halten.«

Zu dritt gingen wir nach Hause.

Als Peter und ich allein im Hausflur standen, sagte er: »Oya, ihr werdet mir sehr fehlen, vor allem du. Aber vielleicht sehen wir uns ja schon im Herbst wieder. Da wollte ich sowieso in die Türkei fahren, da schaue ich mal bei euch vorbei.«

Mir war komisch zu Mute. Ich merkte, wie ich einen roten Kopf bekam.

Was ihm wohl an mir gefiel? Gut, ich sah nicht übel aus mit meinen langen schwarzen Locken, die bis auf die Schultern fielen. Aber sonst... Ich war doch viel zu schüchtern, hatte noch nie mit einem Mann alleine geredet und war noch völlig unerfahren, was Jungens angeht. Und Peter war doch schon ein Mann, mindestens zwanzig Jahre alt.

Wenn bloß meine Eltern nichts gemerkt hatten!

Abreise

Die nächsten Tage vergingen wie im Flug. Meine Eltern waren rund um die Uhr damit beschäftigt, Einkäufe zu erledigen. Unsere Wohnung war so voll, dass vieles bei den Nachbarn untergestellt werden musste. Sogar in der kleinen Mansarde von Peter brachten wir Einkaufstüten unter. Allein für die Geschenke waren meine Eltern eine Woche in den Kaufhäusern der Stadt unterwegs und jeden Abend stellten sie erneut fest, dass sie mindestens die Hälfte vergessen hatten.

Eines Morgens setzte ein Lastwagen zwei Container auf der Wiese vor unserem Haus ab. Bevor wir sie beladen konnten, war die Polizei da, und ich musste wieder dolmetschen. Die Polizisten erklärten uns, dass wir die Container nicht auf die Wiese stellen dürften, da dies eine öffentliche Grünanlage sei. Der Lastwagen musste wieder zurückkommen und die Container direkt vor unsere Haustür stellen. Es dauerte einen ganzen Tag, bis wir sie mit Hilfe der Nachbarn gefüllt hatten.

»Den Rest laden wir in den Bus!«, sagte mein Vater. Er hatte kurz vor der Abreise noch einen neuen Bus gekauft um ihn dann in der Türkei wieder zu verkaufen oder vielleicht als »Dolmus«, als Sammeltaxi, in Istanbul fahren zu lassen.

Zwei Tage vor der Abreise gingen wir mit unseren Abmeldeformularen zum Einwohnermeldeamt und dann zur Ausländerbehörde. Nur mit diesem Stempel konnten meine Eltern ihre Rückkehrprämien erhalten. Ich hatte diese Beamten noch nie so freundlich erlebt wie an diesem Tag.

»Für so viel Geld würde ich auch in die Türkei gehen«, sagte der Beamte grinsend.

»Das Geld steht uns zu«, sagte mein Vater empört und wir verließen den Raum.

Am Abend des letzten Tages gaben wir ein Abschiedsfest für die Nachbarn in unserer Wohnung. Da wir unsere Küche schon fast vollständig eingepackt hatten, brachten die Nachbarn die fehlenden Stühle mit. Auch Peter war da. Zu später Stunde fingen die Männer zu tanzen an. Die Frauen schlossen sich an und schnippten mit den Fingern. Ich tanzte kurze Zeit mit Peter. Dabei schauten wir uns in die Augen. Mir zitterten danach die Knie und ich hatte Angst, dass meine Eltern etwas bemerkt haben könnten. Aber mein Vater hatte so viel Cola mit Whisky getrunken, dass er nichts mehr mitbekam. Meine Mutter weinte sowieso nur noch mit den Nachbarinnen. Nur Derya schaute so komisch und meine Schwägerin Ayten zwinkerte mir verständnisvoll zu. Ich glaube, sie hatte etwas gemerkt, aber vor ihr hatte ich keine Angst.

Ursprünglich wollte mein Vater vor Sonnenaufgang wegfahren, aber schließlich wurde es Mittag, bis wir loskamen. Auch Cornelia und Peter waren da. Fast alle Frauen hatten Tränen in den Augen, so wie wir auch.

Insgeheim machte ich mir große Sorgen, ob wir bis Mitternacht die deutsche Grenze erreichen würden, nur dann gab es nämlich von der deutschen Regierung die sogenannte »Rückkehrprämie«. Es war der 30. Juni und unsere Aufenthaltserlaubnis lief um Mitternacht aus.

Mein Vater war so durcheinander, dass er unterwegs eine falsche Autobahn erwischte. Als Derya aus Langeweile die Autobahnschilder vorlas, bemerkte mein Vater, dass wir falsch fuhren. Dennoch schafften wir es rechtzeitig an der Grenze zu sein. Dort bekamen wir mehrere Stempel in unsere Pässe.

»Deutschland, auf Nimmerwiedersehen«, rief mein Vater, als wir weiterfuhren.

Gleich beim ersten Parkplatz nach der Grenze machten wir Rast. Mir war beklommen zu Mute. Ob das wirklich ein Abschied für immer war?

Zwei Tage später, an der türkischen Grenze, erhielten wir unsere Stempel nicht so problemlos wie bei der Ausreise aus Deutschland. Wir mussten den ganzen Wagen ausladen und die Zöllner untersuchten alles aufs Genaueste. Mein Vater stand mit ihnen in der prallen Sonne, während wir mit meiner Mutter zum Duty-Free-Shop gingen um Zigaretten und Whisky einzukaufen. Als wir zurückkamen, waren die Zöllner noch nicht fertig.

»Die wollen was«, flüsterte Vater meiner Mutter zu.

»Wie viel?«, fragte sie.

Dann holte sie zwei blaue Scheine aus ihrer Geldbörse, die der Vater in die Taschen der Zöllner steckte. Auf einmal durften wir weiterfahren.

»Wir sind in der Türkei, hier wird vom Staatspräsidenten bis zum Müllmann jeder geschmiert«, fauchte mein Vater.

Gleich nach der Grenze wollten meine Eltern endlich einmal richtig türkisch essen gehen. Dazu kam es aber nicht, da wir kurz vor dem Restaurant von einer Polizeikontrolle angehalten wurden.

»Ihr seid zu schnell gefahren, die Autopapiere!«

»Mist!«, fluchte mein Vater auf Deutsch und holte diesmal einen 50-Mark-Schein aus der Tasche meiner Mutter, legte ihn zwischen die Autopapiere und gab sie dem Polizisten, der mich die ganze Zeit frech anguckte.

Der Polizist blätterte die Papiere gelangweilt durch: »Fahr jetzt langsamer. Wir sind hier nicht in Deutschland.«

Als er die Papiere zurückgab, fehlte der Geldschein. Der Appetit war meinen Eltern gründlich vergangen.

Istanbul

Gegen Abend des nächsten Tages trafen wir in Istanbul ein. Wir erlebten einen fantastischen Sonnenuntergang. Die Stadt sah aus, als würde sie brennen. Beeindruckt von diesem Schauspiel verpasste mein Vater die Ausfahrt nach Okmeydani, und wir landeten auf der Bosporusbrücke, die Europa mit Asien verbindet. So mussten wir zunächst nach Asien fahren und dann wieder zurück nach Europa, was sehr viel Brückengebühr kostete.

Laut hupend fuhren wir in unsere Straße ein. Im Teehaus warteten der Großvater, mein Bruder Ali und Onkel Hüsnü mit meinem Cousin Ahmet. Das war vielleicht eine Begrüßung! Wir hatten alle Tränen in den Augen. Ich wunderte mich, dass auch Ahmet dabei war, den ich seit zehn Jahren nicht mehr gesehen hatte.

Nach der Begrüßung fragte mein Vater erstaunt: »Warum seid ihr hier im Teehaus und nicht in meiner Wohnung? Ali, hast du vielleicht wieder den Schlüssel verloren?«

Betretenes Schweigen.

»Osman!«, sagte mein Großvater. »Ich muss dir etwas sagen: Die Mieter sind nicht ausgezogen. Sie suchen zwar eine Wohnung, aber sie haben einen

Anwalt wegen deiner Kündigung eingeschaltet. Wir haben aber auch einen Anwalt genommen, einen guten sogar!«

Mein Vater war außer sich vor Wut. Er wollte in die Wohnung stürmen und den Mieter rausschmeißen.

»Fünfundzwanzig Jahre habe ich auf diesen Augenblick gewartet und jetzt soll ich auf der Straße übernachten!«, schrie er.

Meine Mutter und alle anderen mussten meinen Vater so lange festhalten, bis er sich beruhigt hatte. An diesem Abend fuhren wir zu Onkel Hüsnü und Tante Hatice um bei ihnen zu übernachten. Sie wohnten in Kadiköy, das auf der asiatischen Seite liegt. Das bedeutete noch einmal die Bosporusbrücke zu überqueren und wieder Brückengebühr zu zahlen. Da mein Vater nicht mehr mochte, fuhr Ahmet, mein Cousin, den Bus. Dabei erzählte er uns, dass er jetzt, nach dem Studium, Filialleiter einer Bank sei und viel Geld verdiene.

»Langsam wird es Zeit, dass du heiratest und eine Familie gründest«, sagte meine Mutter.

»Du redest vom Heiraten und wir haben nicht mal ein Dach über dem Kopf«, murmelte mein Vater.

Die ganze Küsserei ging in Kadiköy erneut los, als wir bei meiner Tante Hatice eintrafen. Meine Großmutter war auch da, sie fuhr mich gleich an, weil ich vergessen hatte ihr die Hand zu küssen. Derya hatte es besser, sie war schon eingeschlafen.

Um meinen Vater zu beruhigen, rief man gleich den Rechtsanwalt an. Mein Vater beauftragte ihn dem Mieter Geld anzubieten. Vielleicht würde er dann schneller ausziehen. Noch etwas beunruhigte uns: Von dem Lastwagen mit unseren Containern fehlte jede Spur. Meine Mutter machte sich große Sorgen.

»Wir regeln das alles morgen, jetzt wird erst mal gegessen«, sagte Onkel Hüsnü.

Als meine Eltern nach dem Essen anfingen die Geschenke auszupacken und zu verteilen, ging ich ins Bett. Ich sah noch, wie sich Ahmet über die Uhr mit Taschenrechner freute. Die Männer übernachteten alle auf Matratzen im Wohnzimmer. Ich schlief mit Derya und meiner Mutter zusammen im Kinderzimmer.

Am nächsten Morgen fuhren wir alle mit unserem Bus wieder auf die europäische Seite hinüber, nach Eyüp. Eyüp liegt am Halic, am »Goldenen Horn«, wie die Europäer sagen. Als wir aus dem Bus ausstiegen, gab Mutter Derya und mir je ein Kopftuch und sagte: »Wir gehen jetzt in die heilige Moschee des Sultan Eyüp, einem Mitkämpfer unseres Propheten Mohammed.«

Mohammed ist der Begründer unserer Religion, dem Islam. Er lebte im 7. Jahrhundert, das wusste ich von meinem türkischen Religionslehrer. Der Prophet hinterließ uns den Koran, der uns Mohammedanern vorschreibt, wie wir uns im Leben zu verhalten haben.

Neben der Moschee in Eyüp opferten meine Eltern einen Hammel als Dank für unsere glückliche Heimkehr. Ich verstand ihr Verhalten nicht ganz, denn bis jetzt hatten wir noch keine Wohnung, und von unseren Sachen fehlte jede Spur. Der Hammel wird übrigens nach der Schlachtung an die Armen verteilt. Ich fand es eklig, wie er vor unseren Augen geschlachtet wurde. Ich hatte Mitleid mit dem Tier und mir wurde schlecht. Derya weinte. Danach beteten die Erwachsenen vor dem Grabmal. In der Zeit tröstete ich meine kleine Schwester Derya.

Anschließend gingen die Männer zum Rechtsanwalt und wir Frauen fuhren mit einem Taxi nach Kadiköy. Auf dem Weg dorthin zeigte uns Tante Hatice die Bankfiliale, in der Ahmet stellvertretender Leiter war. Ich fand die Filiale ziemlich klein, verglichen mit unserer Bank in Frankfurt. »Gestern war Ahmet noch Filialleiter«, bemerkte ich.

Tante Hatice meinte: »Das wird er bald.«

Da mischte sich meine Großmutter ein: »Oya, das ist typisch deutsches Benehmen, aber hier gelten noch unsere türkischen Sitten. Älteren Personen widerspricht ein Mädchen nicht! Außerdem, die Kleider, die du anhast, solltest du lieber in den Koffer packen und nach Deutschland zurückschicken.«

Ich schaute an mir herunter. Meine Jeans hatten 99,90 DM gekostet und waren toll verwaschen. Mein T-Shirt mit meinem Porträt darauf hatte ich in der B-Ebene am Hauptbahnhof bedrucken lassen.

Ehe ich meiner Großmutter antworten konnte, fuhr sie schon fort: »Und wie Derya aussieht! Sie hat ja fast nichts an! Kurze Hosen sind für Mädchen in der Türkei und auch in Istanbul unmöglich. Was werden die Nachbarn sagen? Gut, dass ihr noch nicht in eurer Wohnung seid.«

»Lass doch den Kindern Zeit, Mutter, bis sie ihre Sachen aus dem Lastwagen bekommen haben«, beschwichtigte meine Mutter und zog ihr Kopftuch energisch fester.

Sie hatte es nach dem Beten nicht mehr abgesetzt. Ich wunderte mich, denn in Deutschland trug sie das Kopftuch immer nur bei der Arbeit. In Anwesenheit von Großmutter traute ich mich aber nicht sie zu fragen, ob sie es jetzt immer tragen wollte.

Unser Haus

Vater schmierte unsere Mieter reichlich mit Geld, so dass wir nach fünf Tagen einziehen konnten. Er war fest davon überzeugt, dass diese längst eine Wohnung hatten und nur noch unsere Abfindung kassieren wollten. Ein gebräuchlicher Trick, meinte unser Rechtsanwalt. Der Pächter des Teehauses hatte Gott sei Dank bereits aufgegeben, weil er pleite war. Er schuldete uns noch drei Monatsmieten.

Mein Vater und mein Bruder renovierten die Wohnung selber. Die Handwerker verlangten zu viel Geld, meinte mein Vater.

Die Nachbarn waren erstaunt, dass ein Hausbesitzer aus Deutschland seine Räume eigenhändig ausmalte.

Kein Tag verging ohne Aufregung. Nach mehreren Anrufen erfuhren wir, dass die Container am Zollamt festgehalten wurden. Mein Vater musste mit einem gemieteten LKW hinfahren und wieder die Zöllner schmieren, bis er die Sachen ausgehändigt bekam. Zu Hause merkten wir, dass der Föhn und der neue Toaster fehlten. Meine Eltern waren außer sich vor Wut. Es ließ sich nicht feststellen, wo die Dinge geblieben waren.

Die Nachbarn halfen uns die Sachen hochzutragen und bewunderten unsere Einrichtung. Meine Mutter war sehr stolz. Mein Vater gab bereitwillig Auskunft über Preise und Modelle. Als er gerade sein Videogerät vorführen wollte, fiel für vier Stunden der Strom aus. Einer der Nachbarn brachte uns Kerzen. An die hatten wir in Deutschland nicht gedacht.

»Daran müsst ihr euch gewöhnen, das passiert hier jeden zweiten Tag. Im Sommer gibt es dann außerdem noch ab und zu kein Wasser. Damit müssen wir hier leben«, meinte der Nachbar.

Die Video-Demonstration entfiel also für diesen Abend.

Unsere Wohnung hat fünf Zimmer. Fast die Hälfte der Fläche nimmt der Salon ein. Er wird nur für Besucher benutzt. Mutter stellte die Sitzgarnitur und den Glastisch hinein. An die eine Wand klebten wir in siebenstündiger Arbeit eine Fototapete mit Hirschen vor schneebedeckten Alpen. An die andere Wand kam die Schrankwand mit der Glasvitrine. In die Vitrine stellten wir zwei Whiskyflaschen, eine Flamenco-Puppe, eine Glaskugel mit dem Frankfurter Römer im Schnee, die Gondel aus Venedig und Bilder von unserem Straßenfest in Frankfurt, auf denen auch Peter zu sehen war.

Andauernd kamen Nachbarn um alles zu bestaunen.

Die Teppiche, die wir in Deutschland für den

Salon gekauft hatten, wurden von den Nachbarn gebührend bewundert. Besonders beeindruckte sie, dass man sie mit Waschmittel waschen konnte.

Den Fernseher und das Videogerät stellte mein Vater im Esszimmer auf, so dass man während des Essens bequem Video schauen konnte. In der Türkei werden nur noch Videos gesehen, da das Fernsehen außer einigen wenigen Serien fast nur noch Werbung oder Nachrichten über die Regierung bringt. Kurz vor unserer Rückkehr hatte man sogar vorübergehend »Dallas« aus dem Programm genommen, da diese Sendung angeblich die guten Sitten in Gefahr brachte.

Ali bekam ein großes Zimmer, damit er ungestört lernen konnte. Ursprünglich hatte er Medizin studieren wollen, doch reichte seine Punktzahl bei der Aufnahmeprüfung für die Universität nur für ein Deutschstudium aus. Ich war entsetzt, als ich feststellte, wie schlecht seine Deutschkenntnisse waren. Nach einem Jahr hatte er noch nicht einmal begriffen, dass es im Deutschen drei Artikel, nämlich »der«, »die«, »das«, gibt. Für ihn ist alles nur »das«. Wenn Derya, die noch nicht genügend Türkisch kann, mit ihm Deutsch redet, versteht er nur »Bahnhof«. Anscheinend braucht man in der Türkei um Deutsch zu studieren keine Deutschkenntnisse!

Wie immer bezog ich mit Derya das kleinste Zimmer. Wir klebten unsere Poster aus Deutschland an die Wände. Tina und Pippi Langstrumpf für Derya. Für mich Mike Cox und Freeway. Als mein Bruder Ali unsere Koffer in das Zimmer brachte, klinkte er aus. Schreiend stürzte er sich auf das Poster von Mike Cox. »Was soll der halbnackte Neger hier? Schämst du dich nicht? Du verletzt die Ehre unserer Familie. Was sollen die Nachbarn von uns denken!«

Ich platzte fast vor Wut. »Du hättest auch mal in Deutschland leben sollen«, brüllte ich zurück. »Dann hättest du wenigstens etwas von der Welt gesehen und gehört. Mike Cox ist *der* Star in Amerika! Von dem könntest du dir eine Scheibe abschneiden.«

Als meine Mutter unseren Krach hörte, stürzte sie herbei und versuchte zu schlichten.

»Musstest du auch diesen Mist mitbringen, Oya?«, sagte sie streng. »Wir sind schließlich nicht mehr in Deutschland. Deine Großmutter wird entsetzt sein, wenn sie diese verrückten Wilden sieht. Die Verhältnisse sind hier anders. Wir müssen uns alle etwas umstellen. Und außerdem, Oya«, fuhr sie fort, »musst du jetzt deinem älteren Bruder gehorchen. Er hat schon Recht: Diese Bilder müssen sofort von der Wand runter und in den Mülleimer.«

So hatte ich meine Mutter noch nie erlebt. So einen Aufstand hatte sie in Deutschland nicht gemacht. Dort war es meinen Eltern egal gewesen, welche Poster wir an den Wänden hatten. Jetzt begann Derya auch noch loszuheulen. Wütend nahmen wir die Poster ab und versteckten sie unter unseren Matratzen.

Ich hörte, wie Ali aufgeregt auf meine Mutter im Flur einredete. Er kam nach fünf Minuten zurück und verlangte von uns, dass wir die Koffer aufmachen. Ich kam mir vor wie beim Zoll.

»Zeig mir mal deine Kleider!«, befahl Ali. Dann kniete er sich auf den Boden und zog nach und nach meine Sachen aus dem Koffer heraus. »Das kannst du anziehen, das nicht. Das kannst du anziehen, das nicht, das kannst du…«

Mein Suntop, der Bikini und das gepunktete Sommerkleid mit dem tiefen Rückendekolleté wurden als Erstes aussortiert. Zum Schluss blieb nicht mehr viel übrig, was ich anziehen durfte.

»Morgen gehen wir in den Kapali Carsi, den großen Basar, und kaufen euch anständige Kleidung. Damit man sich euretwegen nicht schämen muss«, unterstützte ihn meine Mutter, die inzwischen wieder hereingekommen war.

Im Basar

Liebe Conny,

endlich komme ich dazu, dir zu schreiben. Alles war so aufregend, dass ich kaum Zeit zum Nachdenken fand. Vor einer Woche konnten wir endlich in unsere neu renovierte Wohnung ziehen. Sie ist sehr schön geworden. Die Nachbarn beneiden uns. Derya und ich haben zusammen ein Zimmer, aus unserem Fenster schauen wir direkt auf eine Tankstelle. Wir haben noch immer Ferien, stell dir vor, die dauern hier vier Monate! Die Schule fängt erst Ende September an. Hier ist es so heiß, dass man gar nichts lernen könnte.

Conny, ich vermisse dich sehr. Ich würde dir so gerne mein Herz ausschütten. Oft bin ich sehr einsam. Die Mädchen, die ich hier getroffen habe, gefallen mir alle nicht. Sie sind so brav, machen ihren Mund nicht auf und haben keine Ahnung von dem, was mich interessiert. Wenn ich von Deutschland erzähle, wie ich dort gelebt habe, halten sie mich für verrückt. Die wissen nicht einmal, was McDonald's ist. Jugendclubs sind hier unbekannt. Ihre Klamotten sind altmodisch.

Die meisten Mädchen tragen noch eine lange Hose unter dem Rock. In den feinen Stadtvierteln in Istanbul, wo alles viel moderner ist, gibt es ganz tolle Boutiquen. Aber da kaufen wir nicht ein, weil es dort zu teuer ist. Außerdem würde sich meine Mutter da gar nicht hineintrauen. Aber wenn du mich besuchen kommst, dann müssen wir unbedingt dorthin.

Stell dir vor, mein Bruder Ali, von dem ich dir erzählt habe, ist ein richtiges Ekel. Er studiert Deutsch, hat aber weder von der deutschen Sprache noch von Deutschland eine Ahnung. Ali hat mir verboten meine Poster aufzuhängen und hat all meine Lieblingsklamotten aussortiert. Es blieben nur noch ganz langweilige Sachen übrig, die ich weiterhin tragen darf. Mutter hat mich dabei nicht in Schutz genommen, da mein Bruder als Mann mehr zu sagen hat.

Noch schlimmer ist aber meine Großmutter. Die hätte es am liebsten, wenn ihre Enkel ihr stündlich die Hände küssen, ihr Tee kochen und ihr aus dem Koran vorlesen würden. Selbst ihr Mann, der Opa, leidet unter diesem Drachen. Er verbringt daher den ganzen Tag im Teehaus und kommt nur zum Essen nach Hause. Meine Großeltern wohnen zwar in einem anderen Stadtteil als wir, aber meine Großmutter kommt jeden Tag zu Besuch zu uns.

Nachdem man mir meine deutschen Kleidungsstücke weggenommen hatte, sollte ich auf dem Basar neue bekommen. Unter der Führung von Großmutter gingen wir mit meiner Mutter auf den Basar. Der Basar von Istanbul ist enorm groß. Wenn man sich nicht auskennt, geht man mit Sicherheit verloren. Er ist vollständig überdacht und dunkel. Lampen brennen den ganzen Tag über. Hier kann man alles kaufen. Es gibt viele Straßen im Basar: zum Beispiel Straßen, wo es nur Goldsachen gibt, vor allem Armreifen, Ohrringe, Ketten. In anderen Straßen gibt es nur Stoffe, Handtücher, stapelweise Bettwäsche. Ich frage mich, warum wir das alles aus Deutschland mitgenommen haben. In den prächtigen Straßen, wo es Kupfergegenstände oder Ledersachen zu kaufen gibt, wimmelt es von Touristen. Sie werden ganz schön übers Ohr gehauen. Meine Mutter hat für Ali eine lederne Aktentasche für die Uni gekauft. Für dieselbe Tasche sollte ein Deutscher im selben Laden, zur selben Zeit, das Doppelte bezahlen. Ich habe ihn, ohne dass der Verkäufer es merkte, gewarnt. Man muss aufpassen, denn die Verkäufer können alle etwas Deutsch.

Meiner Großmutter war im Basar alles zu teuer.

»Die Touristen und die Türken aus Deutschland verderben die Preise«, sagte sie.

Es war, glaube ich, eine Spitze gegen meine Mutter, die bis jetzt in der Türkei beim Einkaufen nicht auf die Preise geachtet und auch nicht gehandelt hatte.

Außerhalb des Basars gibt es viele fliegende Händler, deren Preise niedriger sind. Dort wurden zwei Kopftücher für mich erstanden, die ich noch hinnahm. Aber bei den braunen Baumwollstrumpfhosen habe ich Krach geschlagen. So etwas Scheußliches ziehe ich nicht an. Die Katastrophe kam bei den Kleidern. Je länger desto besser, meinten Großmutter und Mutter übereinstimmend. Da mir zum Glück die Kleider nicht passten, kauften wir Stoff. Meine Großmutter will sie für mich nähen. O je. Hier in der Türkei gibt es nur riesige Konfektionsgrößen. Ich konnte die Strumpfhosen ohne Schwierigkeiten bis an die Ohren ziehen. Also muss ich mich mit Strümpfen begnügen, da die Strumpfhosen nicht passen.

Das Einzige, was mir in Istanbul gefällt, ist das schöne Wetter. Es ist sehr warm, der Himmel ist immer blau. Allerdings waren wir noch kein einziges Mal baden. Aber am Wochenende wollen wir mit der Familie meines Onkels auf die Inseln im Marmarameer fahren. Allerdings ist mein Bikini von meinem Bruder Ali einkassiert worden.

Liebe Conny, ich muss jetzt Schluss machen, weil ich meiner Mutter in der Küche helfen soll. Bitte schreib mir bald, grüß auch Peter und Frau Schneider herzlich von mir und erzähle ihnen, wie es mir hier geht. Peter wollte doch in die Türkei kommen, frag ihn mal, wann er genau kommt. Kannst du mir auch eine ›Bravo‹ schicken? Hier ist sie nicht zu bekommen.

Viele Grüße, vergiss mich nicht, immer deine Freundin

Oya

Ausflug

Am Sonntag machten wir einen Ausflug auf die Inseln, die vor Istanbul im Marmarameer liegen. Am frühen Morgen fuhren wir in Karaköy mit der Fähre ab. Die Familie meines Onkels Hüsnü stieg in Kadiköy zu. Das Schiff war total überfüllt. Während der einstündigen Fahrt mussten wir stehen. Selbst für Oma gab es keinen Sitzplatz. Hier in der Türkei scheint keiner einer älteren Frau seinen Platz anzubieten. Ich dachte, die Türken würden ältere Menschen mehr achten, als Deutsche es tun.

Statt meiner geliebten Jeans hatte ich das langweilige Baumwollkleid anziehen müssen, das Großmutter mir genäht hatte. Zum Glück hatte ich meinen poppigen Glitzergürtel gerettet. Der passte ganz gut dazu.

Von der Anlegestelle der Fähre auf Büyükada gingen wir zu Fuß an den Strand. Bis auf Derya hatte von uns Frauen keine einen Badeanzug dabei. Ich hatte noch keinen Ersatz für meinen Bikini bekommen, dabei hätte ich so gerne gebadet. Während die Männer ins Meer sprangen, bereiteten wir Frauen das Mittagessen vor. Vor Wut, nicht ins Wasser zu können, habe ich die Tomaten versalzen. Großmutter, die meinen Unmut spürte, schimpfte mich aus. Sie erzählte mir, dass sie in meinem Alter schon Mutter gewesen war, während ich lauter Flausen im Kopf hätte.

»Es wird Zeit, dass du endlich mal etwas lernst«, sagte sie und packte ihr Strickzeug aus. »Komm, ich zeige dir, wie man einen Schal strickt.«

Doch da brauchte mich Großmutter nicht anzuleiten. Stricken konnte ich sehr gut. Aber Großmutter ließ nicht locker. Sie gab mir Stickzeug in die Hand und eine Decke zum Besticken. Diese komplizierten Stiche kannte ich nicht.

»Siehst du«, sagte meine Großmutter triumphierend, »richtig sticken kannst du nicht. Wie willst du da deine Aussteuer zusammenkriegen? Sei froh, dass ich es dir jetzt zeige!«

Seufzend fügte ich mich in mein Schicksal. Immerhin war Ahmet, mein Cousin, von meinen Stickkünsten beeindruckt.

»Ich wusste gar nicht, dass Mädchen aus Deutschland so gut handarbeiten können«, sagte er. »Heute Abend kommt übrigens im Fernsehen ein Film über die türkischen Jugendlichen in Deutschland. Da wird nochmal gezeigt, wie es bei euch zuging. Mal sehen, was du dazu sagst. Aber ich weiß genau, dass du nicht so eine bist. Deshalb spendiere ich dir und Derya jetzt ein Eis.«

Ich wusste nicht, wovon er sprach, aber das Eis war eine schöne Abwechslung.

Wir aßen lange zu Mittag. Da die Männer viel Raki tranken, lagen sie bald alle schnarchend unter den Bäumen. Die Frauen spülten das Geschirr. Ich ging mit den Füßen ins Wasser und ärgerte mich, dass ich Ahmet meine Schwimmkünste nicht zeigen konnte. Da hätte er seine Meinung über die Mädchen in Deutschland ändern müssen, denn Sport war sein Hobby. Er schwärmte für Steffi Graf.

Gegen Abend gingen wir zur Fähre zurück. Auf den Straßen herrschte großer Trubel. Schick gekleidete Frauen und Männer flanierten in Cliquen am Kai entlang. Auch das waren Türken. Reiche Türken, die sich an der europäischen Mode orientierten. Ich zeigte meiner Mutter die Spaziergänger und fragte sie: »Warum darf ich mich nicht so anziehen?«

»Ich möchte nicht, dass du uns Schande bereitest«, sagte meine Mutter.

Warum es eine Schande ist, moderne Kleidung zu tragen, hat sie mir bis heute nicht erklären können. In Deutschland sind wir immer zusammen in die Kaufhäuser gegangen und ihr machte das Einkaufengehen ebenso viel Spaß wie mir. Inzwischen weiß ich, dass man anhand der Kleidung erkennen kann, ob jemand aus Istanbul oder Anatolien stammt. Die Familien meiner Eltern kommen aus einem kleinen Dorf in Anatolien, daher kleiden sie sich noch immer so, wie es dort üblich ist.

Die Rückfahrt war genauso beschwerlich wie die Hinfahrt. Meine Großmutter musste wieder, wie wir alle, die ganze Zeit stehen. An diesem

Abend blieben wir in Kadiköy, in dem Haus von Tante Hatice und Onkel Hüsnü.

Nach dem Abendessen schauten wir alle den Film über türkische Jugendliche in Deutschland an. Es war ein scheußlicher, unwahrer Film. Der türkische Autor tat so, als ob alle türkischen Mädchen in Deutschland käuflich seien und die Jungen entweder Schwule oder Kriminelle. Der Film war furchtbar.

Nach einer Stunde sagte meine Großmutter erleichtert: »Allah sei gedankt! Ich habe es ja geahnt. Gut, dass ihr rechtzeitig aus diesem gottlosen Land weggegangen seid!«

»So schlimm ist es selten«, sagte mein Vater mit zorniger Stimme. »Wenn die Eltern auf ihre Kinder aufpassen, sie richtig erziehen und beschäftigen, dann geraten sie auch nicht auf die schiefe Bahn. Wir haben keinen Fall gekannt, wie er in diesem Film vorkommt. Warum aber unsere Kinder in Deutschland wirklich gefährdet sind, das erklärt der Film nicht. In Deutschland gibt es seit einiger Zeit eine hohe Arbeitslosigkeit. Unsere Jugendlichen bekommen nach der Schule oft keine Lehrstelle und keine Arbeit. Den ganzen Tag alleine in den engen Wohnungen herumsitzen, das kann man von ihnen nicht verlangen! Und die Jugendclubs sind auch keine Spielhöllen! Oya hat dort Hausaufgabenhilfe bekommen und türkische Tänze gelernt. Und das alles umsonst!«

»Einmal im Monat luden die Deutschen auch

die türkischen Familien in den Jugendclub ein«, ergänzte meine Mutter. »Wir Frauen waren auch dabei und brachten Börek mit. Wir können euch die Fotos von den Festen zeigen. Darauf seht ihr, wie schön es war. Einmal hat Oya dort auch Theater gespielt. Wir waren sehr stolz auf sie.«

»Vielleicht zählt Oya nicht zu diesen Mädchen«, mischte sich Ahmet ein, »aber täglich sehe ich die Deutschländerinnen in der Bank, wenn sie Geld wechseln. Ich sehe, wie frech sie auftreten, als ob sie ein Mann wären. Warum ziehen diese Frauen überhaupt noch etwas an? Sie könnten genauso gut nackt herumlaufen. Schaut doch mal, was heute in der Zeitung steht: ›Die Rückkehrmädchen laufen genauso nackt herum wie die deutschen Frauen!‹ Schaut euch diese Fotos an, die sagen doch alles!«

Da explodierte ich. »Warst du überhaupt schon einmal mehr als hundert Kilometer über Istanbul hinaus?«, fuhr ich Ahmet an. »Wie kannst du behaupten, dass die deutschen Frauen mit jedem Mann ins Bett gehen? Ich kenne viele deutsche Frauen, die sehr nett sind und absolut anständig.«

»Misch du dich nicht ein, wenn wir Erwachsenen reden«, beendete mein Vater abrupt das Thema und fing an von den steigenden Preisen zu reden.

Für mich war der Abend damit gelaufen! Wenn alle hier in der Türkei über uns Mädchen aus Deutschland so dachten, na, dann Gute Nacht!

Deutsche Schule

Frau Schneider hat geschrieben. Sie hat von Conny gehört, dass ich unglücklich bin. Sie macht sich Sorgen um mich. Sie meint, in Deutschland sei auch nicht alles Gold, was glänzt. Und dass man dort alles, was man will, haben kann, würde die Deutschen oft egoistisch und hart machen.

Glaubt sie denn, das wäre hier anders?

Auch in der Türkei gilt nur der etwas, der was hat, womit er angeben kann. Aber es ist doch geradezu lächerlich, mit was die hier angeben wollen! Hier funktioniert doch nichts.

Frau Schneider schreibt auch, dass ich in Frankfurt womöglich gar keinen Ausbildungsplatz bekommen hätte. Vielleicht nicht gleich, aber irgendwann einmal hätte es doch geklappt. Ein Recht hätte ich jedenfalls darauf gehabt. Hier habe ich nichts.

Frau Schneider schreibt, dass ich doch meine Familie hätte, die mich beschützt. Dass ich nicht lache! Sie »beschützt« mich, indem sie mir alles verbietet. Ich soll ja kein selbstständiger Mensch werden. Das wäre ja ein Vergehen.

Mein Leben zu Hause verlief jeden Tag gleich. Morgens Frühstück machen, dann im Laden, den mein Vater bald eröffnen wollte, Regale auffüllen, Mittagessen kochen, spülen, einkaufen gehen und auf Derya aufpassen, die inzwischen schon viele Freunde hatte. Sie brachte den Nachbarskindern Gummitwist bei und lernte dabei Türkisch mit allen Schimpfwörtern, deren Bedeutung sie meistens erst nach der Ohrfeige meiner Mutter erahnte.

Die Ferien gingen ihrem Ende zu und mein Vater machte keinerlei Anstalten sich um meine Schule zu kümmern. Da ergriff ich selbst die Initiative und rief in der Deutschen Schule an. Dort sagte man mir, dass ich mit meinem Vater vorbeikommen sollte.

Ich glaube, mein Vater war ganz froh, dass ich für ihn den Anruf erledigt hatte.

»Ich hoffe, dass sie das Schreiben von Peters Eltern bekommen haben«, sagte mein Vater auf dem Weg zur Schule.

Er hatte extra einen Anzug angezogen und den Bus putzen lassen. Wir brauchten lange, bis wir endlich einen Parkplatz gefunden hatten. Neben der Deutschen Schule liegt das Standesamt, daher war alles voll geparkt. Unser Bus war umsonst geputzt worden, denn wir mussten ihn weit entfernt von der Schule abstellen.

In der Schule trafen wir mehrere türkische Jugendliche aus Deutschland mit ihren Eltern. Ich freute mich, dass ich wieder einmal Deutsch hörte.

Der deutsche Lehrer, der mit uns sprach, war sehr in Eile.

Mein Vater fragte auf Deutsch: »Du bekommen Brief von Eltern von Peter, meine Nachbar in Frankfurt?«

Ich half meinem Vater und erklärte dem deutschen Lehrer, dass Herr und Frau Müller hier an der Deutschen Schule in Istanbul Lehrer gewesen seien und ein Empfehlungsschreiben für mich hätten schicken wollen.

Der Deutschlehrer wusste nichts von dem Brief, da er neu an der Schule war. Dann wollte er wissen, auf welcher Schule ich in Frankfurt gewesen bin. Als ich »auf der Hauptschule« sagte, verzog er das Gesicht.

»Wir sind aber ein naturwissenschaftliches Gymnasium und nehmen nur Kinder, die schon im Gymnasium waren und hervorragende Noten hatten. Leider haben wir nicht genug Plätze für alle Rückkehrerkinder.«

»Aber Oya gut Deutsch. Sie gehen neun Jahre Schule in Deutschland. Du schauen Papiere, Oya.«

Der Deutsche verstand meinen Vater sehr gut und erklärte: »Du haben Recht. Tochter gut. Aber kein Platz Deutsche Schule. Du geben deine Tochter andere Schule. Deutsche Schule schwer für Oya, du geben Tochter türkische Schule.«

Mein Vater war zwar enttäuscht, aber er bedankte sich trotzdem ganz freundlich, während sich der Deutsche dem Nächsten zuwandte. Irgendwie war ich auch froh nicht in diese Schule gehen zu müssen, denn dieser Lehrer war mir sehr unsympathisch.

Draußen sagte mein Vater zu mir: »Die Deutschen wollen uns nicht mal in der Türkei haben, auch wenn wir dafür bezahlen. Ich rede mal mit unserem Nachbarn, der ist Lehrer, der kennt bestimmt eine gute Schule für dich. Außerdem ist es vielleicht besser für dich, wenn du auf eine türkische Schule kommst und richtig Türkisch lernst. Deutsch kannst du sowieso.«

So kam ich in die neunte Klasse des General Evren Mädchen-Gymnasiums in Okmeydani. General Evren ist unser Staatspräsident. Bei uns gibt es keine Trennung zwischen Haupt- und Realschule und Gymnasium. Wir haben eine Einheitsschule.

Bevor die Schule anfing, wollten meine Eltern noch einmal mit uns in ihr Heimatdorf nach Anatolien fahren.

Ferien auf dem Land

Es war ein heißer Tag, als wir aus Istanbul aufbrachen, Richtung Süden. Unser Ziel war ein kleines Dorf nahe Manavgat an der Südküste der Türkei. Dort leben die Eltern meiner Mutter, meine Großeltern, die wir für drei Wochen besuchen wollten. Aus diesem Dorf kommt auch die Familie meines Vaters. Meine Eltern kannten sich schon als Kinder. Sie waren einander ganz jung versprochen worden und wurden bereits in meinem Alter miteinander verheiratet. Ich war das letzte Mal als kleines Mädchen in dem Dorf gewesen, als wir schon eine ganze Weile in Deutschland waren. Daran konnte ich mich nur noch vage erinnern. Auf den Fotos sahen meine Großeltern sehr gutmütig aus. Sie hatten uns immer schöne Geschenke nach Deutschland geschickt, zum Beispiel selbst gemachte Kirsch- und Rosenmarmelade von Großmutter. Die mochte sogar Conny. Nun sollten wir sie also endlich wieder sehen.

Mein Vater meinte: »Wir brauchen fast zwei Tage, bis wir dort sind. Nehmt genügend Wassermelonen mit, dann können wir nachts durchfahren und uns damit erfrischen.«

Mit neuen türkischen Musikkassetten ausgerüstet ging es los. Ich war ganz begeistert von der

Autobahn. Es war wie in Deutschland. Doch nach hundertzwanzig Kilometern hörte sie plötzlich auf und dann kam nur noch Landstraße. Vater fuhr trotzdem die ganze Nacht durch. Ich war die Erste, die das Meer im Morgengrauen schimmern sah. Aufgeregt weckte ich Derya und Ali. Wir waren schon fast an der Küste von Antalya und gönnten uns erst einmal ein Frühstück in einem Rasthaus. Es gab heißen Tee und frische, noch warme Simit, das sind Sesamkringel. Das letzte Stück bis Manavgat bewältigten wir an diesem Vormittag. Ich sah unterwegs einige deutsche Autos.

Vor lauter Freude begann ich zu winken. Viele winkten zurück, denn wir hatten noch unser deutsches Nummernschild und einen Aufkleber »Ein Herz für Kinder« am Auto.

Wir verließen in der Nähe von Manavgat die Hauptstraße und fuhren auf einer kleinen Straße ins Landesinnere.

»Ich rieche mein Dorf«, sagte mein Vater.

Ich konnte nichts riechen. Auch meine Mutter strahlte, was nur selten vorkam. Sie zeigte mir die Felder rechts neben der Straße und meinte: »Die gehören meinen Eltern. Dieses Jahr werden sie eine gute Ernte haben.«

Ich wusste nicht, was das für Gestrüpp auf dem Feld war.

»Baumwolle«, sagte Ali, der Besserwisser.

Laut hupend fuhren wir in das Dorf ein. Eine

Kinderschar rannte hinter unserem Bus her. Wir hielten vor dem Haus meiner Großeltern. Es war ein altes Holzhaus mit einem Balkon und vielen Blumen in verrosteten Blechkübeln. Vor dem Haus standen zwei große Bäume. Später erfuhr ich, dass der eine ein Feigen- und der andere ein Maulbeerbaum war. Meine Großeltern liefen uns entgegen. Es wurden viele Freudentränen vergossen. Ich fand meine Großmutter sehr lieb und küsste ihr freiwillig die Hände.

»Maschallah, Oya ist ja schon eine richtige Frau und was für eine hübsche noch dazu«, sagte mein Großvater.

Ich war ganz begeistert von ihm. Kaum waren wir im Haus, da kamen schon die ersten Nachbarn. Meine Mutter wollte, solange sie da waren, nicht die mitgebrachten Geschenke verteilen, da wir nicht für alle etwas dabei hatten. Mein Vater fuhr mit den Männern aus der Nachbarschaft ins Teehaus, das nur hundert Meter entfernt war. Das verstand ich zwar nicht, fand es aber spannend, dass fünfzehn Männer in unseren Bus hineingingen. Ich kochte mit meiner Mutter für die Frauen Nescafé, der noch aus Deutschland stammte.

Am Abend, vor dem Essen, zeigte uns mein Vater das Dorf. Sein Elternhaus existierte nicht mehr. Nachdem er nach Deutschland und seine Eltern nach Istanbul gezogen waren, hatte man das Grundstück verkauft. Aber die Schule meines Vaters stand noch. Sie hat nur ein einziges Klassenzimmer. Alle Schüler der fünf Klassen der Grundschule sitzen in einem Raum und werden von einem Lehrer unterrichtet. Meine Mutter war nicht zur Schule gegangen, wie damals alle Mädchen in Anatolien. Auch heute noch gehen die Mädchen auf dem Land selten in die Schule.

Die Moschee des Dorfes war viel größer als die Schule. Mein Vater ging mit Ali in die Moschee zum Beten, während Derya und ich nach Hause mussten. Derya fragte mich enttäuscht: »Warum dürfen wir denn da nicht mit hinein?«

»Nur bei besonderen Gelegenheiten dürfen Frauen in der Moschee beten, ansonsten beten sie zu Hause«, erklärte ich ihr.

Die Jungs auf der Straße schauten uns an, als ob wir vom Mond kämen. Vor dem Haus bereiteten Großmutter und Mutter das Abendessen zu. Großvater hatte extra für uns einen Hammel geschlachtet.

Als es dunkel wurde, merkte ich, dass es im Dorf keinen Strom gab. Nur das Teehaus hatte eine Maschine, die Strom erzeugte. Den auf volle Lautstärke gedrehten Fernseher im Teehaus hörte man im ganzen Dorf. Im Haus meiner Großeltern gab es Petroleumlampen. Nach dem Essen erzählte mein Vater von Deutschland, vom Schnee, von Hochhäusern, von den Kaufhäusern mit Rolltreppen. Meine Großeltern hörten mit offenem Mund zu. Besonders den Schnee in Deutschland fanden sie spannend. In ihrem Dorf hatte es zum letzten

Mal vor zweiundzwanzig Jahren geschneit. Schnee fällt in der Südtürkei nur in den Bergen.

Am nächsten Morgen fuhren wir mit den Großeltern zu den Wasserfällen bei Manavgat, die in der ganzen Gegend berühmt sind. Mein Großvater sagte: »Hier bauen die Deutschen einen Stausee.«

Auf dem Markt liefen auch einige Deutsche in Shorts herum, die einigermaßen gut Türkisch sprachen. Dies waren die deutschen Arbeiter vom Stausee. Sie feilschten wie die Türken.

»Die verderben hier nicht nur die Preise, sondern auch die Sitten. Schaut euch diese halb nackten Männer an«, sagte mein Großvater kopfschüttelnd.

Als mein Vater an einem Stand Oliven kaufte, sprach ich einen neben mir stehenden Deutschen auf Deutsch an: »Guten Tag. Wir kommen auch aus Deutschland, aus Frankfurt.«

»Da leben noch mehr Türken als hier«, sagte er, drehte sich um und ging.

»Was hat er gesagt?«, wollte mein Großvater wissen.

»Die Türkei ist sehr schön«, log ich.

»Bei diesem Verdienst hätte ich jedes Land schön gefunden«, murmelte er.

Mich fröstelte trotz der Hitze. Die Worte des Deutschen hatten mich wie ein Peitschenhieb getroffen.

Von Manavgat aus fuhren wir nach Side ans Meer.

»Side ist eine Ruinenstadt aus der Römerzeit«, sagte Ali.

Endlich war er mal zu etwas nütze. Wir schauten uns das Amphitheater an. Ich kletterte bis zur obersten Reihe empor, von wo aus ich meine Eltern nur noch ganz klein auf der Bühne stehen sah, sie aber überdeutlich hören konnte. Von hier oben sah man das Meer und die Berge in der Ferne.

Die Zeit bei meinen Großeltern verlief ruhig und friedlich. Meine Großmutter gewann ich während unseres Aufenthalts im Dorf sehr lieb. Im Gegensatz zu meiner Oma in Istanbul nörgelte sie nie an mir herum. Ihr ging ich gerne im Haushalt und im Garten zur Hand.

Leider fuhren wir aber viel früher als geplant wieder nach Hause, denn mein Vater drängte darauf, seinen Supermarkt zu eröffnen.

Brief aus Frankfurt

Liebe Oya,

tausend Dank für deinen letzten Brief. Ich würde auch gerne mal in die Türkei fahren und das Meer sehen. Deine Erzählungen klangen sehr verlockend. In Deutschland ist es schon wieder Herbst.

Bei mir gibt es nicht viel Neues. Seit drei Wochen gehe ich wieder in die Schule und bin sehr froh, dass ich die Neunte wiederhole. Die meisten aus unserer alten Klasse suchen immer noch eine Lehrstelle. Karin, die auch Krankenschwester werden wollte, hat keinen Ausbildungsplatz bekommen. Fast überall wird Abitur verlangt. Wer weiß, ob es mit deiner Ausbildung geklappt hätte. Ich höre überall, dass Ausländer sowieso nicht genommen werden, weil es zu viele arbeitslose Deutsche gibt.

In der Schule ist mir aufgefallen, dass viele Türken fehlten. Auch mein Vater erzählte, dass zwei Arbeitskollegen von ihm demnächst für immer in die Türkei zurückkehren werden.

Ich habe auf der Straße deinen Peter getroffen und ihn von dir gegrüßt. Er hat sich riesig gefreut und wollte genau wissen, was du machst. Zwei Tage später habe ich ihm deinen Brief zu lesen gegeben. Ich hoffe, du bist deswegen nicht sauer. Peter sagte mir, dass er Weihnachten zu euch nach Istanbul kommen will. Du Glückliche! Übrigens, er ist immer noch solo.

Ich schicke dir die neueste ›Bravo‹ mit. Ich hoffe, dass dein Bruder sie nicht beschlagnahmt. Schreib mir bald. Es ist so langweilig hier ohne dich.

Herzlichst

Conny

P.S. Eben sah ich Peter beim Einkaufen. Er sagte, dass er am 23. Dezember nach Istanbul fliegt. Er hat schon gebucht.

Geschäfte

Kurze Zeit nach der Rückkehr aus dem Dorf wurde mein Vater zunehmend unruhig. Seine Rentengelder aus Deutschland kamen und kamen nicht und auch die meiner Mutter blieben aus. Das Geld wurde bei uns knapper. Mein Vater lieh sich eine größere Summe von meinem Onkel Hüsnü, Ahmets Vater, der ein großes Konfektionsgeschäft hat. Ich merkte, dass es meinem Vater sehr peinlich war sich Geld leihen zu müssen. Meine Mutter jammerte den ganzen Tag und schimpfte auf die Deutschen. Ich ging mit meinem Vater zur Post und rief in Deutschland bei der zuständigen Behörde an. Dort erklärte man mir, dass die Bearbeitung der Rentenanträge aufgrund der hohen Rückkehrerzahl noch einige Monate brauche. Mein Vater war sehr enttäuscht über diesen Bescheid. Inzwischen hatte er den Supermarkt eröffnet. Das Geschäft lief zwar nicht schlecht, aber nur wenige Kunden bezahlten bar. Viele ließen anschreiben. Am Anfang des Monats musste mein Vater von Haus zu Haus laufen und das Geld eintreiben. Ich hatte jeden Abend den Laden zu putzen und die Schulden der Kunden ordentlich einzutragen. Mein Bruder ging zwar auf die Universität, war dazu aber nicht in der Lage. Auch meine Mutter konnte uns im Laden nicht helfen. Ihre Migräne, unter der sie schon in Deutschland gelitten hatte, war schlimmer geworden und sie schaffte gerade den Haushalt.

Als ihre Schmerzen unerträglich wurden, ging mein Vater mit ihr zum Arzt. Dessen Rechnung verschlimmerte ihre Schmerzen. Zum ersten Mal nach ihrer Rückkehr in die Türkei sehnte sie sich nach Deutschland zurück.

»Beim türkischen Doktor in Frankfurt hätte ich nur den Krankenschein abgeben müssen. Hier in der Türkei muss man den Arztbesuch selbst bezahlen«, sagte sie vorwurfsvoll.

Um unseren Haushalt einigermaßen aufrechtzuerhalten kam Großmutter weiterhin täglich zu uns. Gut kochen konnte sie ja, das musste man ihr lassen. Für mich bereitete sie köstliche Süßspeisen zu, vor allem Reispudding. Sie meinte, ich müsste dicker werden.

Eines Tages wollte sie mich und Derya zu Onkel Hüsnü mitnehmen. Mit dem Bus fuhren wir nach Kadiköy hinüber. In Onkel Hüsnüs Konfektionsladen wollte sie jedem von uns eine Schuluniform kaufen. Als ich die Kleider sah, erschrak ich. Ich erhielt einen blauen Rock, der bis zur Wade reichte, eine weiße Bluse, die eher meiner Oma gepasst hätte, schwarze Kniestrümpfe und schwarze Schuhe. Derya wurde in einen schwarzen Kittel mit weißem Plastikkragen gesteckt.

»Endlich seht ihr wie echte türkische Schulkinder aus«, meinte meine Großmutter befriedigt.

Mein Vater hatte unseren Bus als Dolmus, als Sammeltaxi, angemeldet. Das kostete auch eine Menge Geld, da man nur durch Bestechung eine Zulassung für einen Dolmus bekam. Den Bus fuhr ein Maschinenbauingenieur aus unserem Stadtviertel, der zwei Kinder, aber keinen Job hatte. Allerdings waren die Einnahmen recht gering.

Ich merkte, dass mein Vater von der Rückkehr in die Türkei enttäuscht war. Er hatte es sich anders vorgestellt. Vor allem ärgerte er sich über meine Mutter, die ihm ständig vorwarf: »Du verstehst nichts vom Geschäft. Haben wir fünfundzwanzig Jahre in Deutschland geschuftet um uns jetzt bei meinem Bruder Geld leihen zu müssen? Schau dir den Hüsnü an. Er war nie in Deutschland, aber er lebt wie ein König. Wer etwas von Geschäften versteht, kann überall zu Geld kommen. Ich schäme mich vor den Nachbarn, die sich über uns lustig machen, dass wir es in Deutschland zu nichts gebracht haben.«

Solche Töne kannte ich von meiner Mutter bisher nicht. Mein Vater schwieg zu ihren Vorwürfen. Er wurde immer stiller. Manchmal tat es meiner Mutter Leid, dann sagte sie zu ihm: »Die Deutschen werden das Geld schon schicken. Sie haben es uns schließlich versprochen. Nur deswegen sind wir doch zurückgegangen.«

Mir wurde es zu Hause langweilig. Ich vermisste sogar schon unsere Putzarbeit. Wie gerne hätte ich mal wieder die Hitparade gehört! Meiner Mutter ging es ähnlich, glaube ich. Sie war es gar nicht mehr gewohnt nur zu Hause zu bleiben. Gerne hätte sie meinen Vater unterstützt und Geld hinzuverdient. Aber zum einen war sie für die Arbeit in der Türkei zu alt und zum anderen hätte sie den Spott der Nachbarn auf sich gezogen. Es gehörte sich einfach nicht, dass »eine aus Deutschland« in der Türkei noch arbeiten ging.

Der einzige Lichtblick bestand für mich darin, dass bald die Schule anfangen würde.

Schule

»Guten Morgen!«, schrie die ganze Klasse und sprang von ihren Sitzen auf. Ich holte mir dabei einen blauen Fleck, da ich darauf nicht gefasst war.

Es war mein erster Schultag in der Türkei.

»Setzen!«, sagte der Lehrer. Dann fing er an, eine Reihe von Zahlen vorzulesen: »223, 314...« Die Mädchen in der Klasse wiederholten sie. Ich fragte mich, was das Ganze sollte. »399...«, brüllte der Lehrer jetzt.

Keine Antwort.

»399...«, wiederholte er.

Schweigen.

Dann blätterte er in seinem Klassenbuch, schaute auf. »Wer ist Oya Topal?«

»Ich.«

»Du hast aufzustehen, wenn du mit mir sprichst«, fuhr mich der Lehrer an. »Kannst du dir deine Nummer nicht merken?«

Ich sprang auf.

»Entschuldigung...«

»Du redest erst, wenn ich dich dazu auffordere. Woher kommst du denn?«

»Aus Frankfurt«, sagte ich.

»Wo liegt Frankfurt?«

»In Deutschland.«

»Sag mir noch mal deine Nummer!«

»399.«

»Welche Schule hast du dort besucht?«

»Eeeh, den türkischen Namen weiß ich dafür nicht. Die Deutschen sagen Hauptschule dazu.«

»Haupt...?«

Ich drehte mich Hilfe suchend um. Da ging zwei Reihen hinter mir ein Arm hoch.

»Wer bist du?«, fragte der Lehrer ungehalten.

»Ich bin 915, Sevim Burak. Ich komme auch aus Deutschland, aus Duisburg. Die Hauptschule dort dauert neun Jahre und ist vergleichbar mit der türkischen Grund- und Mittelschule.«

»Gut, Sevim«, sagte der Lehrer milde, dann brüllte er mich wieder an: »Wieso stehst du stocksteif in der Gegend herum? Setzen!« Dann las er in seiner Nummernliste weiter.

Das war meine erste Erfahrung mit einer türkischen Schule. Hier brauchte man keinen Namen, dafür musste man seine Nummer kennen. Diese Nummer begleitete einen durch das ganze Gymnasium. Ich war wegen meiner Hauptschule in die neunte Klasse zurückversetzt worden. In der Türkei besteht nur eine Schulpflicht von fünf Jahren. Wer will, geht danach noch drei Jahre in die Mittelschule und anschließend für drei Jahre aufs Gymnasium. Wir waren 46 Mädchen in der Klasse und saßen eng nebeneinander. Äußerlich konnte man uns kaum unterscheiden, da wir alle gleich gekleidet waren. Auch die Haare durften nicht frei herunterhängen. Lange Haare mussten zum Zopf geflochten werden.

Der Klassenraum war viel zu klein für so viele Schülerinnen. Die Luft war miefig. An den Wänden hingen Bilder von einigen Sultanen, deren Namen ich nicht wusste. Zwei Personen auf den Fotos kannte ich. Das eine Bild zeigte Kemal Atatürk, den Vater der Türken und Gründer unserer Republik. Es hing auch in der türkischen Klasse in Frankfurt. Auf dem zweiten Bild war General Evren zu sehen, nach dem unsere Schule benannt ist.

Anders als in Deutschland gab es keinen Klassenlehrer. Jeder Lehrer war nur für sein Fach zuständig. Der Lehrer, der mir diese Lektion über die Nummern erteilt hatte, war mein Geschichtslehrer. Er war etwa vierzig Jahre alt und sehr autoritär, wie alle anderen Lehrer auch. Kein Vergleich mit Frau Schneider! Nachdem er die Nummern der Schülerinnen durchgegangen war, nannte er uns das erforderliche Buch für dieses Schuljahr. Er befahl uns die neueste Auflage zu kaufen, da die früheren angeblich »Geschichtsverfälschungen« enthielten. Der Lehrer erzählte, dass er den ganzen Sommer in Ankara verbracht habe um auf Anordnung des Ministeriums neue Geschichtsbücher zu schreiben. Unser Fach hieße jetzt auch nicht mehr »Geschichte«, sondern »Nationale Geschichte«. Ich wunderte mich, dass in der Türkei die Bücher nicht von der Schule gestellt wurden. Meine Mutter und ich waren dann auch fast eine ganze Woche unterwegs, bis wir alle geforderten Bücher aufgetrieben hatten.

Nachdem der Lehrer die Autoren des Geschichtsbuches diktiert hatte, fing er an abzufragen: »Seit wann gibt es Geschichte?«

»Seitdem die Schrift erfunden worden ist«, antwortete die Klasse im Chor.

»Von wo aus wanderten die Türken nach Anatolien ein?«

»Aus Mittelasien!«

»399, Oya, wo leben heute überall Türken?«

»In der Türkei ...«, stammelte ich.

»Weiter!«

»... in Deutschland, in Holland ... in Frankreich ... in Österreich.«

»Weiter!«, fuhr mich der Lehrer an.

»... eeh ...« Mein Magen krampfte sich zusammen.

»316, Ayse, sag ihr, wo wir Türken noch leben«, verlangte der Lehrer.

»Jawohl, mein Lehrer. Sie leben in fast allen asiatischen Ländern. Überall, wo es auf der Welt einen Türken gibt, fangen die Grenzen der Türkei an.«

»Wie nennt man das gesamttürkische Reich?«

»Turan, mein Lehrer!«

»Setz dich, 316, Ayse, sehr gut. Mach weiter so. Du bist eine gute Türkin. 399, Oya! Du musst noch viel lernen, wenn du die neunte Klasse nicht noch einmal wiederholen willst.«

Ich verstand kein Wort mehr. Turan und die neuen Grenzen, das war mir alles fremd. Davon hatte ich in Deutschland nie etwas mitbekommen. Gehörte etwa jetzt Deutschland zur Türkei? Ich musste Ali fragen.

War ich froh, als es zur Pause klingelte! Nachdem der Lehrer die Klasse verlassen hatte, trotteten auch meine Mitschülerinnen brav wie die Lämmer hinaus. Ich ging ihnen nach. Im Flur vor dem Klassenraum wartete Sevim aus Deutschland auf mich.

»Na, wie hast du die erste Stunde überlebt? Der hat dich ja ganz schön auf dem Kieker! Aber das habe ich auch durchmachen müssen. Ich war schon letztes Jahr drei Monate auf dieser Schule. Absolut ätzend«, sagte sie und biss in einen Riegel Mars. »Gut, was? Den habe ich aus Deutschland geschickt bekommen. Willst du auch mal?«

»Sag mal, sind hier alle Lehrer so wie der eben?«, fragte ich fassungslos.

»Der geht noch«, meinte Sevim. »Er hat zwar die Macke mit dem großtürkischen Reich und schreit viel herum, aber bei der Notengebung ist er anständig. Er hat eine Wut auf die Deutschen, weil sie ihn nicht als Lehrer genommen haben. Du musst erst einmal die Deutschlehrerin erleben. Das ist vielleicht eine Ziege! Da spricht ja mein Vater besser Deutsch. Na, du wirst sie ja gleich kennen lernen. Los, wir müssen rein, es hat geklingelt.«

Im Deutschunterricht waren wir nur wenige, denn die meisten Mädchen gingen in Englisch. Ich freute mich darauf, endlich einmal zu zeigen, was ich konnte. Die Lehrerin war ein Schock für mich! Mit hochhackigen Schuhen und toupierten Haaren, zu engem Rock und Lurexpullover stolzierte sie auf das Pult zu. Alle sprangen auf. Ich mit. Diesmal wusste ich ja Bescheid.

»Guten Morgen«, flötete sie mit hoher Stimme. »Guten Morgen, Frau Lehrerin!«, brüllten die Mädchen zurück und setzten sich.

»Packt eure Schulhefte aus«, sagte sie auf Türkisch. »Ich will testen, ob ihr in den Ferien nicht euer Deutsch verlernt habt.«

Brav packten wir die Hefte aus und sie diktierte uns einen Text. Ich verstand nur »Bahnhof«. Die Lehrerin sprach ein so merkwürdiges Deutsch, wie ich es noch nie gehört hatte. Ob das wohl ein besonderer Dialekt war? Ich linste auf das Blatt meiner Nachbarin. Sofort fuhr sie dazwischen.

»Welche Nummer hast du, wie heißt du? Wie kommst du überhaupt dazu, abzuschreiben?«, fauchte sie mich auf Türkisch an.

Ich stand auf und sagte auf Deutsch: »Ich habe die Nummer 399 und bin heute den ersten Tag in der Schule. Daher kenne ich mich noch nicht so gut aus. Es tut mir Leid, aber ich habe Sie eben nicht verstanden.«

»Was soll das heißen«, zischte sie wieder auf Türkisch, »du hast mich nicht verstanden? Ich denke, du warst in Deutschland, wieso verstehst du mich dann nicht? Los, schreib endlich mit und halte deinen Mund.«

Langsam begriff ich etwas mehr, aber sie betonte die Wörter so komisch, dass ich erst einmal umdenken musste. Wenn es nicht so ernst gewesen wäre, hätte ich mich totgelacht. So jemand war Deutschlehrerin! Alle schrieben brav mit. Satz für Satz diktierte sie in ihrem grässlichen Deutsch: »Dehr Bauhm blutte seer scheen und das Piferd geraste ahuf denn Wissen.«

Da sollte man sich einen Reim darauf machen! Ich glaube, mit der hatte ich es mir gründlich verdorben, denn sie fühlte sich von mir durchschaut. Jedes Mal, wenn ich mit ihr Deutsch sprach, antwortete sie mir auf Türkisch. Sie sprach eigentlich nur Deutsch, wenn sie aus dem Buch vorlesen konnte. Aber das fiel wohl, außer Sevim und mir, niemandem so recht auf. Auch mit den anderen konnte man sich nicht auf Deutsch verständigen. Sie konnten ihre Antworten nur aus ihrem Heft ablesen. Hier hätte ich mir mit Nachhilfeunterricht viel Geld verdienen können. Da wäre ich steinreich geworden!

Die dritte Stunde an diesem ersten Tag war die einzige Sportstunde in der Woche. Auf dem Schulhof mussten wir uns in Reih und Glied aufstellen. Unsere Lehrerin hatte einen zackigen Ton. Ich kam mir vor wie auf dem Kasernenhof. Wir behielten alle unsere Schuluniformen an.

Vor unserer Reihe stand die Sportlehrerin und gab Befehle. »Arme hoch, Arme zur Seite, Arme nach hinten, Arme kreisen, vorwärts, rückwärts ... Rumpf beugen, nach unten federn, eins, zwei, drei, hoch. Und dasselbe von vorne ...«

Ich musste aufpassen, dass ich mitkam. Alle fuchtelten mit ihren Armen im gleichen Takt, nur meine waren immer etwas später oben. Vor lauter Anstrengung hielt ich den Atem an und bekam einen knallroten Kopf.

»Fünfte von rechts, halte den Takt ein, etwas schneller bitte!«, herrschte sie mich an.

So ging das die ganze Stunde. Ich war völlig verschwitzt und fix und fertig. Keuchend schleppte ich mich in die Klasse zurück; Völkerball war nichts dagegen. Schon ging es weiter mit dem Mathematikunterricht. Der Lehrer war ein ganz junger Mann. Ich fand ihn ziemlich hübsch, wenn er nur keine solchen grässlichen weiten Hosen angehabt hätte! Und diese hohen Plateauabsätze! Conny hätte sich gekringelt! Schon schrieb der Lehrer die Tafel voller Zahlen, zum Teil waren mir ganz unbekannte Zeichen darunter. »Rechnet, Kinder«, rief er, und alle senkten die Köpfe über ihre Schulhefte. Ich tat so, als schriebe ich auch. In Wirklichkeit schrieb ich nichts aufs Papier, da ich gar nicht mitgekommen war.

Nach der Stunde ging der Lehrer durch die Reihen und schaute in unsere Hefte. Vor mir blieb er stehen und blickte mich streng an.

»Warum rechnest du nicht, meine Tochter?«, fragte der junge Typ.

›Blöder Kerl‹, dachte ich, ›du siehst doch, dass ich es nicht verstanden habe!‹ Laut aber sagte ich mit meinem nettesten Lächeln: »Diese Zeichen kenne ich nicht, ich komme nämlich aus Deutschland.«

»Da hast du, wie alle ›Deutschländer‹, einiges nachzuholen, halte dich ran! Komm morgen nach Schulschluss zu mir ins Lehrerzimmer, dann zeige ich dir, was du nachzulernen hast.«

Ein Murmeln und Kichern ging durch die Klasse. Wie ich später herausbekam, war die Hälfte der Schülerinnen meiner Klasse in ihn verliebt und hätte gerne mit mir getauscht.

Die letzte Stunde war wieder eine Katastrophe. Die Geographielehrerin war ähnlich gräßlich wie die Deutschlehrerin. Dabei hieß sie »Melek Can«, auf Deutsch »Engel-Seele«. Da konnte ich nur lachen. Ich nahm mir vor sie dennoch »Seelchen« zu nennen.

Das Geographiebuch hieß ›Nationale Geographie‹ und behandelte im ersten Kapitel die Türkei und ihre Nachbarn. »Frau Seele« sprach über das angrenzende Griechenland. Dies war nach ihren Erläuterungen alles andere als ein Nachbar. Sie erzählte uns von der »Megalo Idea«. Demnach wollen die Griechen sich die Hälfte Anatoliens einverleiben und aus Istanbul die Hauptstadt Konstantinopel machen. Zypern wollen sie auch wieder haben. Nach Meinung der Lehrerin sollte man Griechenland nicht mehr als Nachbarn, sondern als Feind der Türkei verstehen. Dabei dachte ich an Jannis, der mich in Frankfurt gegen die Deutschen in Schutz genommen hatte. Er unterschied sich nicht sehr von den Türken und war für mich wie ein Bruder. Auch unsere Eltern grüßten sich freundlich, wenn sie sich sahen. Ehrlich gesagt, von der »Megalo Idea« hatte ich nichts bemerkt. Ob das wirklich stimmte?

Kaum zu glauben, aber irgendwann war die letzte Stunde um und wir konnten endlich nach Hause gehen. Auf der Treppe stürzten einige Mädchen aus meiner Klasse auf mich zu und löcherten mich mit Fragen. Was sie nicht alles wissen wollten!

»Stimmt es, dass in Deutschland die Türken in feuchten Kellern hausen?« – »Stimmt es, dass die türkischen Mädchen in die Disco gehen, rauchen und Bier trinken?« – »Stimmt es, dass die deutschen Jungs Türkinnen entehren und sitzen lassen?« – »Und dass alle deutschen Frauen unsere türkischen Männer heiraten wollen? Sie dafür auch gerne Musliminnen werden?« – »Stimmt das, stimmt das …?«, prasselten die Fragen auf mich herab.

Wie falsch informiert sie doch waren! Ich hatte keine Lust zu antworten, es war mir einfach zu blöd. Sevim, mit der ich mich viel lieber unterhalten hätte, war schon weg. Missmutig machte ich mich auf den Heimweg.

Zu Hause fand ich eine heulende Derya vor. Ihr war es ähnlich ergangen wie mir. Sie hatte sogar von der Lehrerin eine Ohrfeige bekommen! Weswegen wusste sie nicht. Meine Schwester hatte dem Unterricht gar nicht folgen können und behauptete, die Lehrerin habe gar nicht Türkisch gesprochen. Nur die Hälfte der Wörter habe sie verstanden. Ali beruhigte sie und versprach ihr beim Türkischlernen zu helfen.

Das war eine gute Gelegenheit Ali nach dem Wort »Turan« zu fragen, das im Geschichtsunterricht eine so große Rolle spielte.

»Das ist ja fantastisch, dass du dich schon am ersten Schultag für ›Turan‹ interessierst«, begeisterte sich Ali. »›Turan‹ ist das Große Türkische Reich, vom Mittelmeer bis zum Gelben Meer, das wir wieder aufbauen wollen.«

»Wann soll das so weit sein?«, fragte ich.

»Wenn unser Volk in Anatolien stark genug ist«, erwiderte er.

Ich hatte immer noch nichts verstanden, hoffte aber im Laufe des Jahres mehr zu begreifen. War das etwa die türkische Version von »Megalo Idea«, von der die Geographielehrerin in der letzten Stunde gesprochen hatte?

Sevim

Sevim wurde meine beste und einzige Freundin. Mit ihr war es fast wie mit Conny. Täglich sahen wir uns in der Schule und da sie bei mir in der Nähe wohnte, gingen wir auch den Schulweg zusammen. Wir setzten bei unseren Eltern durch, dass wir die Schulaufgaben gemeinsam machen durften. Dabei schütteten wir uns gegenseitig das Herz aus. Sevim war wie ich in Deutschland aufgewachsen. Auch sie sprach besser Deutsch als Türkisch. Auch Sevim war gegen ihren Willen nach Istanbul gekommen. Sie kämpfte immer noch darum, zu ihrer Schwester nach Duisburg ziehen zu dürfen. Aber da sie keinen Pass hatte, standen die Chancen schlecht. Im Scherz sagte ich einmal zu ihr: »Du musst einen Deutschen heiraten, dann kannst du zurück.«

Sie fand die Idee gar nicht schlecht und gestand mir, dass sie einen deutschen Freund habe, der ihr auch heimlich schreibe. Ihre deutsche Freundin Susanne steckte seine Briefe in einen Umschlag mit ihrem Absender. Sevims Eltern hatten noch nie etwas gemerkt. Ich erzählte ihr von Peter, aber eigentlich gab es da ja kaum etwas zu sagen. Außer einem Postkartengruß hatte ich nichts von ihm gehört. Es tat gut eine Freundin zu haben, mit der man über alles sprechen konnte.

Sevims Vater hatte einen schweren Arbeitsunfall erlitten und dabei seine rechte Hand verloren. Da es ein Betriebsunfall war, bekam er eine hohe Entschädigungssumme. Von diesem Geld hatten sich ihre Eltern ein Haus gekauft und zwei Stockwerke vermietet. Zusätzlich hatten sie sich ihre Rentenbeiträge auszahlen lassen. Als ich das hörte, schöpfte ich Hoffnung, dass die Gelder meiner Eltern auch bald kommen würden.

Bei den Schulaufgaben konnte Sevim mir nicht viel helfen, da sie selbst mit dem Stoff kämpfte. Ali um Hilfe zu bitten hatten wir keine Lust, obwohl er sich regelrecht aufdrängte und am liebsten immer dabei gesessen hätte. Komischerweise fand Sevim ihn gar nicht so übel.

»Sei froh, dass du einen Bruder hast. Noch dazu sieht er gut aus. Er müsste sich nur anders kleiden. Und die türkischen Flausen im Kopf, die musst du ihm noch austreiben.«

»Was meinst du denn damit?«, fragte ich sie.

»Bezirze ihn doch mal, dass er uns mit ins Kino nimmt. Ich habe doch keinen Bruder, der das machen könnte. So kämen wir wenigstens mal aus unserem Viertel heraus. Ich würde so gerne mal bummeln gehen, die Istiklal Straße hinunter, da soll es tolle Läden geben. Wir könnten Eis essen und mit dem Schiff auf dem Bosporus fahren.« Sevims Augen glänzten. »In Duisburg-Hochfeld war ich oft mit meinen Freundinnen in der Eisdiele vom Italiener. Es ist schon komisch, in Deutschland haben mir meine Eltern viel mehr erlaubt als hier, obwohl sie den ganzen Tag weg waren.« Sie seufzte: »Na ja. Also frag doch Ali mal, ob er uns ins Kino mitnimmt.«

Ich fragte Ali noch am selben Abend. Er strahlte wie ein Honigkuchenpferd und versicherte mir, dass er die Erlaubnis meiner Eltern für den Ausflug ganz bestimmt bekäme. Er schlug vor, auch Ahmet mitzunehmen. Vater könnte uns den Bus leihen, meinte er. Zwar interessierte mich Ahmet nicht, aber um es mir mit Ali nicht zu verderben, willigte ich ein.

Am Samstag Nachmittag kam Ahmet zu uns. Wir fuhren mit dem Bus zu Sevim und holten sie ab. Ich beneidete sie, dass sie mit zwei jungen Männern, die ihre Eltern nicht kannten, ausgehen durfte. Ich wollte mir gar nicht vorstellen, was die Nachbarn darüber dachten. Auf jeden Fall lugten sehr viele hinter den Vorhängen hervor.

Am Ziel angekommen suchten wir erst einmal eine halbe Stunde einen Parkplatz. Das war also die Istiklal Straße, die Haupteinkaufsstraße von Istanbul! Sevim schleppte uns zu einem richtigen Kaufhaus. So ein tolles hatte ich nicht mal in Deutschland gesehen! Alles war in Schwarzweiß gehalten, die Wände waren verspiegelt und es gab eine Milchbar mit Palmen. Allerdings weigerten sich Ali und Ahmet dort eine Milch zu trinken, es war ihnen zu teuer. In der Türkei ist es üblich, dass die Männer die Mädchen einladen. Zahlen die Frauen für sich, so nennt man es hier die »deutsche Art«.

In den Kinos liefen nur Karate- und Kung-Fu-Filme. Daher wollten die Männer lieber an den Bosporus fahren. Wir parkten bei der alten Befestigungsanlage Rumelihisar und tranken im Auto Tee. Am Bosporus kann man am Meer parken und ein Kellner vom gegenüberliegenden Teegarten bringt den Tee auf einem Tablett.

Eine Zigeunerin, die an unser Auto kam, las mir aus der Hand: »Mein Kleines, dich erwartet großes Glück. Sieh dir diese Linie an. Es ist die Linie der Liebe. Bald wird ein Mann kommen und deinen Vater um deine Hand bitten. Du wirst viel Glück haben.«

»Wie sieht er denn aus?«, wollte ich wissen.

»Er ist groß«, sagte die Frau, meine Hand betrachtend, »sieht prächtig aus und hat viel Geld.«

»Welche Haarfarbe soll denn dieser Mann haben?«, fragte ich.

»Er hat rabenschwarze Locken und schwarze Augen, die wie Diamanten funkeln.«

›So ein Mist!‹, dachte ich. Ich hatte mir den Mann ganz anders vorgestellt. Dieser Typ hatte nicht die geringste Ähnlichkeit mit Peter. Ahmet bezahlte die Frau reichlich.

»Merkst du was?«, fragte Sevim auf Deutsch.

»Schau mal nach rechts, dann kannst du deinen Verehrer live erleben.«

Ich schaute Ahmet an und erschrak. Diese trübe Tasse sollte mein zukünftiger Mann sein? Er war ja ganz nett, aber mein Traummann war er wirklich nicht. Außerdem war er mein Cousin!

›Noch zwei Monate, dann kommt Peter‹, tröstete ich mich. ›Mal sehen, was die Zigeunerin dann sagt‹, dachte ich mir.

Einbruch

An diesem Abend wurde in unserem Supermarkt eingebrochen. Die Alarmanlage, die mein Vater aus Frankfurt mitgebracht hatte, versagte nicht nur, sondern die Einbrecher nahmen sie obendrein noch mit. Auch die Registrierkasse mit dem Schuldenbuch wurde gestohlen. Geld war zwar keins in der Kasse, aber das Schuldenbuch war so viel wert wie bares Geld. Nun konnten wir die Schulden nicht mehr eintreiben. Von den Waren suchten sich die Einbrecher die teuersten aus. Alkoholische Getränke, Zigaretten, Kaffee und kanisterweise Schafskäse. Der Einbruch war ein schwerer Schlag für meinen Vater, der nicht einmal versichert war. Er schimpfte vor allem auf die Deutschen, weil seine teure Alarmanlage versagt hatte. Die Polizei konnte nicht viel unternehmen, da die Einbrecher keine Spuren hinterlassen hatten. Meine Mutter vermutete, dass sie aus der Nachbarschaft kamen und es hauptsächlich auf das Schuldenbuch abgesehen hatten.

Die Migräne meiner Mutter nahm in dem Maße zu, wie die Schulden meines Vaters wuchsen. Onkel Hüsnü lieh uns wieder einmal kräftig Geld.

Der Herbst war in Istanbul eingekehrt. Es regnete

ohne Unterlass und die Straßen in unserem Viertel verwandelten sich in einen Morast. Das Amt für Straßenbau hatte es diesen Sommer nicht mehr geschafft die Straßen asphaltieren zu lassen. So musste man von Stein zu Stein über die Pfützen springen. Meine Mutter war nur noch am Putzen, da der ganze Dreck in die Wohnung getragen wurde. Die Teppiche aus Deutschland sahen inzwischen ganz schön mitgenommen aus. Die Öllieferung für unsere Heizung blieb obendrein noch aus, so dass wir ganz erbärmlich froren. Großmutter brachte uns einen »Mangal«, ein Kohlebecken für glühende Holzkohle, an dem wir uns die Hände wärmten. Ich hätte nie gedacht, dass es in der Türkei so kalt und feucht werden konnte. Bis dahin kannte ich das Land allerdings auch nur aus dem Sommerurlaub. Den türkischen Winter hatte ich ja noch nie erlebt.

Unsere Laune war auf den Nullpunkt gesunken. Derya hatte eine starke Grippe und hustete dauernd. Auch die Schulräume waren kalt. Großmutter verpasste mir dicke Wollstrümpfe, die ekelhaft kratzten. Ich hatte immer noch große Probleme in der Schule. Meine türkischen Sprachkenntnisse wurden einfach nicht besser. Aber das größte Problem für mich waren die Lehrer. Morgens, wenn ich in die Schule ging, hatte ich vor lauter Angst schon Magenschmerzen. Dauernd musste man vor ihnen auf der Hut sein. Nie wusste ich, ob ich etwas richtig oder falsch gemacht hatte, ob ich etwas sagen oder lieber den Mund halten sollte. Die Mädchen in meiner Klasse hänselten mich, wenn ich aus Versehen etwas falsch aussprach oder missverstand. Meine guten Deutschkenntnisse nützten mir gar nichts, ich konnte und durfte sie gar nicht anbringen. Ferien waren auch keine in Sicht, während in Deutschland gerade die Herbstferien anfingen. Einfach trostlos!

Der einzige Lichtblick in der Schule – abgesehen von Sevim – war der Mathematiklehrer. Er hatte mir so viel geholfen, dass ich jetzt im Unterricht gut mitkam.

Dieser Lehrer machte mir Mut, indem er sagte: »Oya, du wirst es schon schaffen. Du bist ein kluges Mädchen. Mit deinem Problem stehst du nicht alleine da. Die meisten Rückkehrerkinder haben Schwierigkeiten in der türkischen Schule. Ihr Türkisch reicht für die Schule nicht aus. Außerdem sind sie nicht gewöhnt nur zu antworten, wenn sie vom Lehrer gefragt werden. In Deutschland soll man doch möglichst oft fragen, sich am Unterricht beteiligen, damit der Lehrer sieht, dass die Schüler mitdenken.«

Es tat mir gut, dass wenigstens ein Mensch an der Schule Verständnis für mich zeigte.

Mein Vater sprach inzwischen öfter davon, dass es ein Fehler gewesen sei in die Türkei zurückzugehen. Er traf sich regelmäßig im Teehaus mit anderen Männern, die auch aus Deutschland zurückgekehrt waren. Ihnen ging es nicht viel anders. Allen fiel es schwer sich in der Türkei eine neue Existenz aufzubauen. Aber es gab kein Zurück mehr! In unseren Pässen stand ganz groß: UNGÜLTIG. Selbst wenn wir uns neue Pässe hätten besorgen können, wären wir trotzdem nie mehr nach Deutschland hereingekommen. Das deutsche Konsulat in Istanbul gab keinem der Rückwanderer ein Visum und ohne Visum war keine Einreise möglich. Mir wurde zum ersten Mal bewusst, dass ich nie mehr nach Deutschland kommen würde, nicht einmal um Conny oder Frau Schneider zu besuchen.

Und meine Eltern warteten immer noch auf ihre Rentengelder.

Auch Sevim war kurz vorm Ausflippen. Sie suchte sogar Möglichkeiten einen gefälschten Pass aufzutreiben um nach Deutschland abzuhauen. Im Gegensatz zu mir hatte sie eine Schwester in Deutschland, die zu ihr stand und mit ihren Eltern verkracht war. Mein Bruder Avni hätte mich sofort mit der ersten Maschine wieder nach Hause geschickt. Seine Frau Ayten hätte mir geholfen, aber Avni hatte viel zu viel Angst vor meinem Vater.

Wenn mir wenigstens die Schule Spaß gemacht hätte! Es gab nicht mal ein Jugendhaus, wo man Kurse machen konnte. Und selbst wenn… – ich hätte ja sowieso nicht hingehen dürfen. Nicht mal aus dem Fenster durfte ich so lange schauen, wie ich wollte. Sofort zeterte meine Mutter: »Was ist denn auf der Straße los? Dir müssen ja bald die

Ellbogen weh tun, so lange siehst du schon hinaus. Junge Mädchen tun so etwas nicht. Sonst denken die Nachbarn, du hältst Ausschau nach den Jungen.«

Sie streichelte mir leicht über den Kopf und sagte tröstend: »Oya, wach auf, wir sind nicht mehr in Deutschland. Was meinst du, wie oft ich Sehnsucht nach Deutschland habe! Wie gerne würde ich mal wieder mit meinen Frankfurter Freundinnen Kaffee trinken und mich unterhalten! Die Frauen hier verstehen mich nicht. Sie sitzen den ganzen Tag zu Hause und können nicht begreifen, was ich vermisse. Sie wissen nicht, wie es ist berufstätig zu sein und über selbst verdientes Geld zu verfügen.«

Peter

Gegen Weihnachten brachte der Postbote einen Brief aus Frankfurt, der an meinen Vater adressiert war. Die Schrift erkannte ich sofort – Peter. Mit dem Brief in der Hand flitzte ich in unseren Supermarkt und stürzte auf meinen Vater zu.

»Vater, du hast einen Brief aus Frankfurt!«

»Endlich kommt das Geld aus Deutschland.«

»Nein, er ist von Peter, glaube ich.«

»Peter? Was will der denn von mir?«

Uninteressiert öffnete mein Vater den Brief. Ich linste über seine Schulter. Schade, Peter schrieb türkisch, da konnte Vater ihn selber lesen. Danach legte er den Brief wortlos beiseite.

»Was hat Peter denn geschrieben?«, fragte ich möglichst unbeteiligt.

»Er kommt uns besuchen.« Damit drehte er sich um und bediente seine Kunden.

»Ich zeige den Brief Mutter«, sagte ich schnell, aber er hörte gar nicht mehr hin. Peter schien für ihn einer anderen Welt anzugehören. Auf der Treppe las ich Peters Brief mit klopfendem Herzen.

»Lieber Osman Bey«, schrieb er, »ich hoffe Ihnen und Ihrer Familie geht es gut und Sie haben sich inzwischen in der Türkei eingelebt. Ich habe oft an Sie gedacht und freue mich Ihnen schreiben zu können, dass ich Weihnachten in Istanbul sein werde. Es wäre nett, wenn Sie mir helfen könnten eine billige Pension zu finden. Ich weiß noch nicht, wie lange ich bleiben werde, aber ich komme am 23. Dezember um 16.00 Uhr am Flughafen Yesilköy an. Ich werde Sie von dort aus anrufen. Schreiben Sie mir bitte, was ich Ihnen mitbringen kann.«

Jubelnd, drei Stufen auf einmal nehmend rannte ich in unsere Wohnung. »Mutter! Peter kommt!«

»Sprich nicht deutsch mit mir!«, fuhr meine Mutter mich an. »Wann wirst du endlich Türkisch lernen!«

»Peter kommt!«, sagte ich auf Türkisch. »Er fragt, ob du etwas mitgebracht haben willst.«

Da strahlte meine Mutter und vergaß ihre Migräne. »Wann kommt er denn?«

»Am 23. Dezember...«

»Was? Nimm schnell ein Papier und schreib!«

Meine Mutter bestellte all das, was sie die ganze Zeit vermisst hatte: Teebeutel, Shampoo, Zahnpasta, Stützstrümpfe für die Oma, Aspirin, Wegwerffeuerzeuge, einen Kuli mit Zeit- und Datumangabe, einen wattierten Wintermantel für Derya, Strumpfhosen für mich, einen Wandteppich mit einem Hirsch für Onkel Hüsnü, je ein Aktenköfferchen für Ali und Ahmet mit Sicherheitscode und Initialen auf den Schlössern, eine japanische Alarmanlage für den Supermarkt, eine

Schneelandschaft von Frankfurt zum Schütteln und eine Flasche Whisky aus dem Duty-Free-Shop.

Das nötige Geld für die Einkäufe sollte sich Peter bei unserem Nachbarn in Frankfurt holen. Bei ihm hatte mein Vater vor unserer Abreise für solche Zwecke vorsorglich Geld deponiert. Meine Mutter war strikt dagegen, dass Peter in eine Pension ging. Für ihn wurde in Alis Zimmer ein Bett aufgestellt. Meine Mutter hoffte, dass Ali durch das Zusammensein mit Peter besser Deutsch lernen würde.

Endlich war der 23. Dezember da! Mir war ganz schlecht vor Aufregung. Ich wusste nicht, was ich anziehen sollte. Sevim lieh mir ihren Pullover mit dem Tigeraufdruck. Als Großmutter mich darin sah, bekam sie einen Wutanfall. »Mit dem gehst du nicht aus dem Haus!«, tobte sie. Zähneknirschend zog ich meinen Schulmantel darüber. Das sah vielleicht aus! Mein Vater hatte zur Feier des Tages einen Schlips umgebunden. Mutter ließ an diesem Tag ihr Kopftuch zu Hause und erntete dafür strafende Blicke von Großmutter, die fur den Nach mittag die Leitung des Supermarktes übernahm. Ali war auch sehr aufgeregt, denn er hatte Angst davor, mit Peter Deutsch sprechen zu müssen.

»Er spricht besser Türkisch als du. Von Peter kannst du noch Türkisch lernen und Deutsch sowieso«, sagte ich spitz.

Seitdem ich meine Deutschlehrerin erlebt hatte, war mir auch klar, warum Ali in der Schule und auf der Universität so eine schlechte deutsche Aussprache gelernt hatte. Unsere Deutschlehrerin hatte auf derselben Uni studiert wie Ali.

Derya ließ sich etwas Besonderes für Peter einfallen. Im Laufe des Vormittags malte sie ein riesiges rotes Herz, das sie auf Peters Bett legte.

Eine Stunde vor Ankunft der Maschine waren wir bereits am Flughafen. Vor der großen Scheibe in der Ankunftshalle warteten wir genau drei Stunden, denn die Maschine hatte wie immer Verspätung. Endlich landete sie. Wir sahen Peter bald hinter der Scheibe auftauchen. Dann aber musste er über eine Stunde auf seinen Koffer warten. Die Fließbänder standen nämlich still, es war wieder einmal Stromausfall. Da die Zollbeamten sich auf die Türken aus Deutschland stürzten, kam Peter unbehelligt durch den Zoll.

»Kamerad, herzlich willkommen in der Türkei«, sagte mein Vater laut auf Deutsch, so dass es alle Umstehenden hören konnten.

Würdevoll reichte er Peter die Hand. Ich war richtig stolz auf meinen Vater.

Ali quälte sich auch einen deutschen Satz ab.

Derya krähte frech dazwischen: »Peter, hast du mir etwas mitgebracht?«

Dann erst waren Mutter und ich an der Reihe. Hinter dem Rücken meiner Mutter zog ich schnell meinen Mantel aus.

»Schön, dass du da bist, Peter«, sagte ich möglichst gelassen.

»Oya, du bist ja eine richtige Dame geworden«, begrüßte er mich strahlend.

Meine Mutter zischte von hinten: »Wo kommt denn dieser Fetzen her, der aussieht wie ein Katzenfell? Zieh sofort deinen Mantel wieder an!«

Peter und ich taten so, als hätten wir in dem Lärm nichts verstanden. Vater und Ali nahmen seinen Koffer, wir schleppten die Pakete und so gingen wir zum Auto. Peter musste neben Vater und Ali Platz nehmen, wir Frauen saßen hinten und schon fuhren wir los, Richtung Istanbul. Wie Peter sich auskannte! Jeder Stein schien ihm vertraut zu sein.

»Ach, die schöne Istanbuler Stadtmauer«, rief er, »und dahinten sieht man ja schon die Inseln im Meer.«

Er war so begeistert, dass auch ich Istanbul ganz anders zu sehen begann. Zu Hause angekommen schleppten wir sein Gepäck hoch.

»Du wohnst natürlich bei uns«, erklärte mein Vater. »Wir lassen dich doch nicht wie einen Fremden im Hotel schlafen.«

Großmutter begrüßte Peter überfreundlich. Als Peter ihr die Hand küsste, war sie ganz hingerissen.

»Mein Sohn«, sagte sie, »unser Haus sei dein Haus.«

Selbst ich war gerührt über ihre Herzlichkeit.

Großmutter hatte extra Manti gekocht, eine Spezialität ähnlich wie Tortellini. Vater und Ali zeigten Peter die Wohnung und den Supermarkt, während wir Frauen den Tisch deckten. Noch vor dem Essen packte Peter die Geschenke und die bestellten Gegenstände aus. Vater freute sich besonders über die Alarmanlage, die er am liebsten gleich ausprobiert hätte.

»Jetzt wird erst einmal gegessen, mein Sohn«, mischte sich Großmutter ein. »Oder willst du unseren Gast verhungern lassen?«

Großmutter schien Peter wirklich schon ins Herz geschlossen zu haben. Großvater kam wie immer zu spät zum Essen. Ihm mussten wir erst noch erklären, wer Peter war. Alle waren begeistert, wie gut Peter Türkisch sprach. Ali war sehr erleichtert, dass er nicht Deutsch reden musste. Großvater freute sich endlich in Peter jemanden gefunden zu haben, der seine Geschichten aus dem Krieg hören wollte.

Nach dem Essen packte Peter die restlichen Sachen aus. Für mich hatte er ein Fläschchen Parfüm und Strumpfhosen mitgebracht. Der Whisky für Vater verschwand gleich in der Vitrine.

»Den heben wir für eine besondere Gelegenheit auf. Peter, du trinkst doch sicher lieber unseren türkischen Raki?«

Brennend gerne hätte ich etwas von Conny gehört und mich lieber mit Peter über neue Platten unterhalten, statt schweigend bei dem Männergespräch dabeizusitzen. Peter interessierte sich sehr für Vaters Supermarkt und all die Probleme, die wir hatten. Er erzählte, dass er in deutschen Zeitungen gelesen hätte, dass viele Türken, die in die Türkei zurückgekehrt waren, noch immer auf ihre Beiträge aus der Rentenversicherung warteten.

»Erst wollten die Deutschen, dass ihr möglichst schnell abhaut. Und jetzt gibt man euch das versprochene Geld nicht. Wie viel Geld erwartest du denn, Osman?«

Die Männer schienen sich verbrüdert zu haben.

»Die Rentenanteile von mir und meiner Frau ergeben fast 45000 DM«, antwortete mein Vater.

»Wenn ich zurück bin, werde ich mich darum kümmern«, versprach Peter.

»Ach, du meinst es so gut mit uns. Wenn doch alle Deutschen so wären wie du«, seufzte meine Mutter.

Und mein Vater stimmte in ihren Seufzer ein: »Endlich jemand, der unsere Sorgen versteht. Peter, du bist einer von uns. Weder deutsch noch türkisch, so halbe-halbe wie wir«, sagte mein Vater plötzlich auf Deutsch.

Topkapi

An nächsten Tag, nach der Schule, besichtigte ich mit Peter, Ali und Sevim den Topkapi-Saray, einen Palast aus dem 15. Jahrhundert. Vorher hatte meine Mutter für Peter einen Weihnachtskorb vorbereitet, mit Orangen, Nüssen und Mandeln, denn heute war Heiligabend. Auch Lokum hatte sie in den Korb getan. Lokum wird nach komplizierten Rezepten, die aus dem alten Ägypten kommen, hergestellt. Es ist furchtbar zäh und süß, wie harter Gelee.

Im Topkapi Palast angekommen versuchte Ali uns die Geschichte dieses Bauwerks zu erzählen. Sehr groß war sein Wissen allerdings nicht; die meisten Informationen musste er aus dem Museumsführer vorlesen.

Ich hörte sowieso nicht hin. Immer wieder wanderten meine Blicke zu Peter hinüber, der sie erwiderte. Plötzlich sagte er: »Komm, Oya, ich zeig dir den Bosporus. Den kann man von hier aus besonders schön sehen.«

Ali und Sevim erhoben keine Einwände, als wir weggingen. Sie waren gerade in ein angeregtes Gespräch vertieft.

Gemächlich schlenderten wir vor bis zur Brüstung und bewunderten die Aussicht. Auf einmal legte Peter seinen Arm um meine Schultern. Ich fand es sehr schön und hätte ewig so stehen können. Da hörte ich von weitem Sevim rufen: »Kommt, wir gehen jetzt in die Schatzkammer.«

Erschrocken zog Peter seinen Arm zurück. Stumm gingen wir zu den anderen zurück. Ali kam uns freundlich entgegen. Anscheinend hatte er nichts bemerkt. Er war wohl mit Sevim beschäftigt gewesen. In der Schatzkammer konnte ich für nichts Interesse aufbringen, obwohl es dort die schönsten Schmuckstücke und den größten Diamanten der Welt gab. Ich hatte nur Augen für Peter. Wie konnte ich es nur anstellen einmal mit ihm alleine zu sein?

Da Peter bei uns zu Besuch war, hatte Vater uns erlaubt den ganzen Tag mit ihm unterwegs zu sein. Schließlich sollte er in Istanbul etwas erleben. Wir beschlossen ins Kino zu gehen, in einen guten türkischen »Heimatfilm«. Der Film erzahlte die Geschichte eines schönen Mädchens, das den Sohn des Großgrundbesitzers aus dem Dorf heiraten soll. Heimlich liebt sie aber schon lange den Dorfschullehrer, der aus der Großstadt dorthin versetzt worden ist. Da ihr kleiner Bruder zu ihm in die Klasse geht, schickt sie dem Lehrer durch ihn ein frisches, selbst gebackenes Brot. In das Brot hat sie einen Zettel eingebacken, auf dem zu lesen ist: »Rette mich, sie wollen mich mit dem Sohn des Großgrundbesitzers verheiraten!« Der Lehrer entführt das Mädchen nachts auf seinem Pferd. Da sie verfolgt werden, müssen sie sich in einer Höhle verbergen.

Die Handlung war so dramatisch, dass ich ängstlich nach Peters Hand griff. Auch Sevim schrie vor Angst auf. Beruhigend legte Ali den Arm um sie. So viel Gefühl hätte ich meinem Bruder gar nicht zugetraut! Sevim ließ es geschehen. Da dachte ich auch nicht mehr daran, Peters Hand loszulassen.

Zum Glück kann sich das Filmpaar in die Großstadt retten. Doch das Mädchen hat großes Heimweh nach ihrer Familie und schreibt ihr einen Brief, mit der Bitte um Verzeihung. Eines Tages, lange nach ihrer Heirat mit dem Lehrer, steht ihr ältester Bruder vor der Tür. Vor Freude weinend fällt sie ihm um den Hals.

»Habt ihr mir verziehen?«, fragt sie ihn schluchzend.

Als ihr Bruder sieht, wie glücklich sie ist und dass sie ein Kind erwartet, sagt er: »Wir verzeihen dir, obwohl ich eigentlich gekommen bin um die Ehre unseres Hauses wiederherzustellen.«

Mit diesen Worten legt er seine Pistole auf den Tisch.

Erleichtert sank ich in den Sessel zurück. Peter lächelte mir bedeutungsvoll zu. »Siehst du, wenn man will, kann man seine Wünsche verwirklichen.«

Glücklich und ganz benommen gingen wir aus dem Kino. Inzwischen war es dunkel geworden.

Peter wollte uns alle zum Essen einladen. Doch Ali war dagegen.

»Kommt, wir müssen nach Hause«, meinte er. »Mutter wartet doch mit dem Essen auf uns. Außerdem sind wir heute Abend bei Onkel Hüsnü eingeladen. Er und Tante Hatice wollen Peter unbedingt kennen lernen.«

Wir nahmen ein Sammeltaxi bis vor unsere Tür. Meine Großmutter war nicht begeistert davon, dass wir im Kino gewesen waren. »Könnt ihr euer Geld nicht sparen? Wozu haben wir Video zu Hause?«

Nach dem Essen fuhren wir alle auf die asiatische Seite zu Onkel Hüsnü. Als wir aus unserem Bus stiegen, standen Onkel Hüsnü und Ahmet bereits an der Haustür.

»Endlich kommt ihr, der Film hat schon längst angefangen.«

»Welchen Film seht ihr denn?«, fragte Vater.

»Spartacus, mit Kirk Douglas«, antwortete Ahmet und reichte Peter die Hand. »Willkommen in unserem Haus. Ich habe gehört, Sie sprechen etwas Türkisch«, sagte er betont langsam.

Peter antwortete in fließendem Türkisch. Ahmet staunte. Ich war stolz auf Peter. Wir wurden ins Wohnzimmer gebeten und nahmen auf den dicken Sesseln Platz. Tante Hatice reichte uns Tee und Bonbons. Alle starrten auf den Fernseher. Ich langweilte mich fürchterlich und ich glaube, Peter auch. Endlich war der Film zu Ende, doch schon schob Onkel Hüsnü die nächste Kassette in den Recorder. Ich war sauer, dass er sich so wenig um unseren Gast kümmerte. Aber ich wusste auch, dass Onkel Hüsnü große Vorbehalte den Deutschen gegenüber hatte. Er und Tante Hatice hatten sich all die Jahre über geweigert uns in Deutschland zu besuchen, da sie immer behaupteten, die Deutschen würden nur arbeiten und verstünden nicht zu leben. Mich verwunderte es sehr, dass sich Onkel Hüsnü unserem deutschen Gast gegenüber so unfreundlich verhielt. Gastfreundschaft wird in unserem Land nämlich ganz groß geschrieben. Ich konnte mir Onkel Hüsnüs Verhalten nur so erklären, dass er meinem Vater – obwohl er aus Deutschland zurückgekehrt war – weiterhin Geld zum Leben leihen musste. Deshalb konnte er Vaters deutschen Gast so unfreundlich behandeln.

Silvester

Silvester feiern wir Türken wie die Deutschen, allerdings ohne Feuerwerk. Dieses Jahr wollten wir in unserer Wohnung ganz groß Silvester feiern. Meine Eltern waren schon tagelang mit den Vorbereitungen beschäftigt. Ich wunderte mich, dass sie dafür so viel Geld ausgaben, obwohl sie nur Schulden hatten. Sogar ein Kleid aus der Boutique durfte ich mir aussuchen! Am Abend vor Silvester bereitete ich mit meiner Mutter gefüllten Blätterteig vor.

»Oya«, fragte meine Mutter, »was macht eigentlich die Schule? Verstehst du dich jetzt besser mit deinen Lehrern?«

Erfreut, dass sich meine Mutter trotz der vielen Festvorbereitungen um meine Schulsorgen kümmerte, erzählte ich ihr meinen ganzen Kummer.

In der Schule war es noch genau so schlimm wie am Anfang. Nichts hatte sich verbessert. Mit Bangen dachte ich an das Zeugnis, das ich nächstes Jahr bekommen würde. Sogar meine Deutschnote war miserabel.

»Wären wir doch in Deutschland geblieben«, schüttete ich meiner Mutter das Herz aus, »da hätte ich diese Sorgen nicht. Ich habe in der türkischen Zeitung gelesen, dass viele Türken wieder nach Deutschland zurückwollen und vor dem deutschen Konsulat Schlange stehen um ein Visum zu bekommen. Am liebsten ginge ich auch wieder zurück.«

»Kind«, beschwichtigte mich meine Mutter, »wir machen uns ja auch Sorgen und sehen, wie du unter der Schule leidest. Was hältst du davon, wenn wir dich von der Schule abmelden? Du könntest doch ein bisschen im Haushalt und im Laden helfen. Ich habe mit Sevims Mutter gesprochen. Sie werden ihre Tochter auch abmelden.«

Ich dachte nach. Das hörte sich ganz verlockend an. Aber lieber wäre ich nach Deutschland gegangen um Geld zu verdienen. Doch das würden meine Eltern nie erlauben.

»Außerdem, mein Kind, wird es Zeit, dass du dich auf deine Zukunft als Ehefrau und Mutter vorbereitest«, unterbrach mich meine Mutter in meinen Gedanken. »Du hast ja überhaupt noch keine Aussteuer.«

»Aber Mutter, ich bin doch noch viel zu jung zum Heiraten. Ich möchte erst noch mein Leben ein bisschen genießen«, versuchte ich sie zu beruhigen.

Meine Großmutter hatte schon öfters Bemerkungen gemacht, dass es Zeit für mich zu heiraten wäre. Doch da hatte Vater immer wieder gesagt: »Lass Oya erst mit der Schule fertig werden. Dann sehen wir weiter.«

Warum aber kam Mutter so plötzlich auf das

Thema Heirat zu sprechen? Ob da Großmutter dahinter steckte? Denn wie oft hatte Mutter bei ihren Freundinnen geklagt: »Ach, hätte ich nicht so früh geheiratet, dann hätte ich mehr vom Leben gehabt.«

Während Mutter den Blätterteig in die Backröhre schob, sagte sie mit Nachdruck: »Mein Kind, Vater und ich sind zu dem Entschluss gekommen, dass du bald heiraten sollst. Du weißt ja, dass du seit deinen Kindertagen Ahmet versprochen bist.«

»Welchem Ahmet?«, entfuhr es mir entsetzt. »Etwa meinem Cousin Ahmet, dem Sohn von Onkel Hüsnü?«

»Genau dem«, sagte Mutter ganz ruhig, »da bist du in den besten Händen. Wir würden dich niemals einer fremden Familie geben.«

»Aber er ist doch nur wie ein Bruder für mich«, sagte ich fassungslos.

»Gerade darum! Das ist die beste Voraussetzung um eine Familie zu gründen. Sieh Vater und mich an. Wir waren einander schon seit unserer Geburt versprochen.«

»Aber ich liebe ihn doch gar nicht. Für ihn empfinde ich überhaupt nichts. Noch nicht einmal eine kleine Liebe...«, brach es verzweifelt aus mir heraus.

»Das macht nichts«, unterbrach mich Mutter. »Die Liebe kommt später. Hauptsache, du bist in guten Händen. Onkel Hüsnü wird euch eine schöne Wohnung in seinem Haus einrichten und du weißt ja, Ahmet hat eine gute Stellung bei der Bank. Da kann er dir alles, was du dir wünschst, bieten. Die Liebe kommt dann ganz von selbst.«

In diesem Augenblick kam Ali in die Küche.

»Was ist denn hier los, was machst du denn für ein Gesicht, Oya?«, fragte er mich.

»Ich soll Ahmet heiraten, dem ich angeblich schon als Kind versprochen wurde.« Mir versagte die Stimme.

»Wusstest du das nicht? Ihr sollt euch doch morgen verloben«, meinte er erstaunt.

»Was, und das sagt mir keiner? Jetzt blicke ich überhaupt erst durch, was der ganze Rummel soll. Es ist ein abgekartetes Spiel. Das neue Kleid aus der Boutique, das große Fest... Und das alles entpuppt sich als meine Verlobung. Jeder scheint es zu wissen, nur ich nicht. Da mach ich nicht mit, schließlich ist das mein Leben!«, schrie ich, rannte aus der Küche und knallte die Tür zu.

Heulend schmiss ich mich auf mein Bett. Derya, die gerade eine Platte hörte und dazu tanzte, erstarrte. Auf ihre Fragen einzugehen hatte ich keine Kraft. Aber als ich so auf meinem Bett lag und schluchzte, kam sie zu mir und streichelte mich.

»Wären wir doch in Deutschland geblieben, da hättest du deinen Peter bekommen«, versuchte mich Derya zu trösten.

Da merkte ich, dass die kleine Derya schon vieles wusste.

»Ruf doch mal Sevim an oder sprich mit Peter«, sagte die Kleine und ich war ganz gerührt.

»Geh mal in Alis Zimmer und rufe Peter. Aber nur wenn Ali nichts davon merkt.«

Derya huschte aus dem Zimmer und kam gleich wieder enttäuscht zurück.

»Er traut sich nicht in unser Mädchen-Zimmer zu kommen, der Feigling«, flüsterte sie mir ins Ohr.

Da konnte nur noch Sevim helfen. Derya schlich sich aus der Wohnung um sie zu holen. Und wirklich, nach fünf Minuten kam Derya mit Sevim zurück.

»Wo brennt's denn?«, wollte sie noch außer Atem von mir wissen.

»Ich soll morgen, an Silvester, mit Ahmet verlobt werden. Stell dir vor, mit meinem eigenen Cousin Ahmet! Ich liebe ihn doch überhaupt nicht!«

»Das ist ja ein Ding! Wie sind denn deine Eltern auf die Idee gekommen?«, fragte sie entsetzt.

»Ahmet und ich sind einander seit unserer Kindheit versprochen, das habe ich heute so nebenbei erfahren. Meine Eltern haben es mir angeblich erzählt, als ich noch klein war. Da nie sicher war, wann wir in die Türkei zurückgehen würden, haben sie mir gegenüber auch nicht mehr davon gesprochen. Für Ahmets Eltern war es immer klar, dass sie einer Hochzeit nur zustimmen würden, wenn ich mit Ahmet in Istanbul bleibe. Durch unsere endgültige Rückkehr in die Türkei steht nun meiner Verheiratung nichts mehr im Wege. Alle sind einverstanden, an mich denkt keiner. Meine Eltern wollen mich von der Schule nehmen, damit ich mich auf das Eheleben vorbereiten kann. Übrigens, deine Eltern wollen dich auch von der Schule abmelden. Pass nur auf, dass sie dich nicht auch verheiraten.«

»Dass man als Kinder einander versprochen wird, ich dachte, das gibt es nicht mehr in der Türkei«, sagte Sevim entsetzt. »Das können die doch nicht machen!«

»Das machen sie aber! Bei uns in der Familie ist das so üblich. Meine Eltern waren einander auch versprochen. Sie kommen vom Dorf, dort ist das noch Sitte und auch in Istanbul soll die Verwandtschaft zusammenbleiben.«

»Und was ist mit der Liebe?«, wollte Sevim wissen.

»Die kommt später von selbst, sagt meine Mutter. Sie hat doch keine Ahnung von Liebe. Sie weiß nicht mal, wie Liebe geschrieben wird. Mit vierzehn Jahren hat sie geheiratet und jetzt soll ich auch verheiratet werden.«

»Und was ist mit Peter? Weiß er davon?«

»Keine Ahnung. Er traut sich nicht mal in mein Zimmer zu kommen.«

Ich merkte, wie mir die Tränen in die Augen stiegen.

»Du kannst doch mit ihm abhauen.«

»Ich habe doch keinen Pass.«

»Er kann dich doch entführen, dann muss er dich heiraten und du kannst nach Deutschland reisen.«

»Ach, Sevim. Du hast vielleicht Vorstellungen. Vorher findet uns die Familie und bringt uns alle um, weil die Ehre verletzt ist. Es geht auch nicht gut aus wie im Film. Mein Vater würde nie im Leben erlauben, dass ich einen Deutschen heirate.«

»Sprich mit Peter. Vielleicht wird er Muslim und dann darf er dich heiraten.«

»Die Deutschen heiraten doch nie, schon gar nicht so früh.«

»Aber Peter ist wie ein Türke.«

Vielleicht hatte Sevim doch Recht. Ich musste unbedingt mit Peter reden. Aber wie sollte ich es anstellen?

Zaghaft klopfte es an der Tür. Peter steckte vorsichtig seinen Kopf durch den Türspalt.

»Ich habe eben das Telefon abgenommen, anscheinend sind alle noch einmal zum Supermarkt gegangen. Sevim, deine Mutter ist am Apparat, du sollst sofort nach Hause kommen«, sagte Peter.

»Oya, ich muss gehen. Denk noch einmal darüber nach, was ich dir gesagt habe.«

Sevim warf mir einen langen Blick zu. Dann waren Derya und ich mit Peter allein.

»Derya, verschwinde mal«, flüsterte ich ihr zu. Schon war sie weg.

»Jetzt sag mal, was los ist«, forderte mich Peter auf.

Ich erzählte ihm alles haargenau. Danach fühlte ich mich ein wenig besser. Dass er mich entführen sollte, verriet ich ihm natürlich nicht. Gespannt wartete ich auf seine Reaktion.

»Ganz schön verzwickt«, antwortete er ausweichend. »Was willst du jetzt machen?«

»Ich dachte, du könntest mir helfen. Du kennst doch unsere Sitten.«

»Aber wie denn? Ich bin doch ein Deutscher. Ich könnte mal mit deinem Vater reden. Vielleicht kannst du erst deine Schule beenden und dann Ahmet heiraten.«

Eine Welt brach für mich zusammen. Schule, Schule... Nur an die Schule dachte er. Das war wohl das Wichtigste für die Deutschen. Hatte er kein Herz? Konnte er sich nicht vorstellen, wie mir zu Mute war? Hatte er denn nicht gemerkt, dass ich Ahmet gar nicht liebte? Und außerdem war er mein Cousin! Hatte Peter überhaupt keine Gefühle für mich? Aber warum hatte er mich dann in den Arm genommen? Es war doch keine Einbildung von mir gewesen!

Vor Enttäuschung fing ich an zu heulen. Es war mir sehr peinlich, aber es brach einfach aus mir heraus. Und was machte Peter? Er stand wie ein Ölgötze herum. Umständlich holte er ein Tempotaschentuch aus seiner Jeans und sagte: »Hier, putz dir erst mal die Nase. Es wird schon alles gut werden. Ich spreche mit deinem Vater, ob er nicht noch ein oder zwei Jahre warten kann mit der Verlobung.«

Kapierte er denn gar nichts? Es ging mir schließlich nicht nur um die Zeit. Ich wollte Ahmet einfach nicht. Ich raffte meinen ganzen Mut zusammen und sagte zu ihm: »Und was ist mit uns?«

»Wir werden gute Freunde bleiben wie immer. Ich komme dich weiterhin besuchen und schreibe dir aus Deutschland.«

Dieser Hornochse! Mochte er mich denn kein bisschen?

»Hast du überhaupt keine Gefühle für mich?«, fragte ich ihn mit zitternder Stimme.

»Doch, Oya, ich mag dich sehr. Aber das reicht doch nicht zum Heiraten. Außerdem will ich erst mein Studium beenden und höchstwahrscheinlich muss ich noch meinen Ersatzdienst ableisten. Zum Heiraten ist es noch viel zu früh für mich.«

»Warum hast du dann mit meinen Gefühlen gespielt?«

»Ich war nett zu dir, weil ich dich mag.«

»Trotzdem lässt du zu, dass ich Ahmet heiraten muss.«

»Was soll ich denn machen? Soll ich mich mit ihm duellieren?«

»Was heißt duellieren?«, fragte ich hoffnungsvoll.

»Mit ihm streiten, ihn töten.«

»Würdest du das für mich tun?«

»Komm, Oya. Nein, natürlich nicht. Ich bin gegen Gewalt.«

Ich war zwar vollkommen durcheinander, aber so viel verstand ich, dass Peter nicht um mich kämpfen wollte. Er war nicht so tapfer wie der Lehrer im Film, der das Mädchen, das er liebte, auf dem Pferd entführte.

»Komm, lass uns jetzt rübergehen«, meinte er dann. »Deine Mutter scheint schon zurück zu sein. Ich höre sie mit dem Geschirr klappern.«

»Hau ab, du Feigling«, fuhr ich ihn an, »ich will jetzt alleine bleiben.«

Dann war ich wirklich ganz allein. Die Hoffnung auf Rettung durch Peter hatte sich zerschlagen. Ich musste einen eigenen Weg finden um Ahmet loszuwerden.

In dieser Nacht heckte ich meinen Plan aus.

Verlobung

Am nächsten Morgen ging es bei uns in der Wohnung sehr hektisch zu. Meine Großmutter dirigierte uns alle herum. Auf mich redete sie ein das Kleid aus der Boutique nicht anzuziehen. Zum ersten Mal folgte ich ihrem Wunsch gerne. Wieso sollte ich mich auch zu dieser Verlobung, die nichts mit mir zu tun hatte, besonders schön anziehen? Sollte ich etwa noch besonders verführerisch aussehen in meinem neuen, knallgrünen Taftkleid an so einem Trauertag? Damit Ahmet sich freuen konnte über seine hübsche Verlobte! Nicht mit mir, da spiel ich nicht mit, denen würde ich es schon zeigen.

Ich hatte beschlossen ihnen allen das Fest zu verderben. Nichts mit hübscher Verlobter, netter Tochter und kleiner Hausfrau! Ich wollte mich so unmöglich benehmen, wie es nur ging. Da sie mich sowieso nicht nach meinen Wünschen fragten, musste ich ihnen meine Ablehnung auf diesem Weg zeigen. Mir war es lieber, als schlechte Tochter angesehen zu werden, als Ahmets Frau für das ganze Leben zu sein. Hoffentlich würde ich durchhalten!

»Mach schnell, deine Gäste kommen gleich! Zieh dein neues Kleid an!«, rief meine Mutter mir zu.

Ich verschwand im Badezimmer. Vor dem Spiegel betrachtete ich mich lange. Ich sah müde aus und sehr bleich. Wie erloschen.

In mir war eine grenzenlose Leere. Und eine unsagbare Traurigkeit. Aber ich konnte nicht weinen. Meine Kehle war wie zugeschnürt. Warum taten mir meine Eltern das an? Sie wussten doch, dass ich noch nicht heiraten wollte! Und schon gar nicht Ahmet!

Grenzenloser Hass stieg in mir hoch. Ohne nachzudenken nahm ich eine Schere in die Hand. Schnitt mir eine dicke Locke ab. Das würde Vater weh tun, dem meine Locken doch so gut gefielen. Aber hatte er nicht auch der Heirat mit Ahmet zugestimmt? Sicher wollte er durch mich seine Schulden bei Onkel Hüsnü ausgleichen. Mädchen werden in der Türkei oft noch für viel Geld an den Bräutigam verkauft. Langsam durchschaute ich die Zusammenhänge! Während ich darüber nachdachte, füllte eine Locke nach der anderen das Waschbecken. Ich erschrak, als ich mein Spiegelbild sah. Ganz bleich und mit so kurzen Haaren erkannte ich mich kaum wieder. ›Aber Haare wachsen ja wieder nach‹, dachte ich. An meinem Verlobungstag erwartete man von mir, dass ich mich schminkte! Mit meinem einzigen Lippenstift malte ich mir einen riesigen Mund, einen traurigen Clownsmund. Die Augenbrauen rasierte ich mir mit Vaters Rasierapparat ab und malte mir stattdessen dicke, schwarze Balken mit Mutters Augenbrauenstift. ›Schön sieht eure Oya aus‹, dachte ich.

»Oya«, hörte ich meine Großmutter rufen, »beeile dich, mein Kind, die Gäste kommen.«

Ich huschte in mein Zimmer und öffnete den Schrank. Ich zog meine Schuluniform heraus und schlüpfte hinein. ›Ob ich den anderen wohl so gefallen würde?‹, dachte ich boshaft.

»Wie siehst du denn aus«, entfuhr es Derya, die ins Zimmer kam, »bist du verrückt geworden?«

»Vielleicht«, antwortete ich, »kann durchaus sein. Wieso soll man in so einer Familie nicht verrückt werden?«

Derya starrte mich fassungslos an. In dem Augenblick kam meine Mutter in unser Zimmer. Wie angewurzelt blieb sie an der Tür stehen.

»Oya«, sagte sie mit tonloser Stimme, »was hast du getan?«

Sie kam auf mich zu, packte mich und zerrte an meiner Schuluniform. »Los, zieh das sofort aus. Und was hast du mit deinen Haaren gemacht? Bist du nicht ganz bei Trost?«

Widerstrebend ließ ich mich ausziehen.

»Hier, zieh das an«, sagte sie und warf mir ein braunes Kleid zu. »Geh ins Bad und wasch dir die Schminke ab«, kommandierte sie. »Die Gäste sind schon da und auch Ahmet und seine Eltern werden bald kommen.«

Teilnahmslos ließ ich alles mit mir geschehen und befolgte die Anordnungen. Als ich ins Wohnzimmer trat, hätte man eine Stecknadel fallen hören können. Da saßen sie alle. Meine Eltern, Derya und Ali, meine Großeltern, Onkel Hüsnü und seine Frau, Ahmet, mein zukünftiger Verlobter, und gleich neben ihm Peter. Auch Sevim und ihre Eltern waren eingeladen. Alle starrten mich an wie ein Gespenst. Langsam ging ich auf sie zu.

»Guten Abend, herzlich willkommen zu meiner Verlobung«, sagte ich betont freundlich.

Keiner antwortete. Schweigend setzte ich mich neben Sevim. Mein Vater räusperte sich und sagte ganz laut zu meiner Mutter: »Wo bleibt der Tee, Frau?«

Meine Mutter war sichtlich froh sich in die Küche absetzen zu können. Mein Vater wandte sich an Sevims Vater und fragte: »Wo seid ihr eigentlich in Deutschland gewesen?«

Sevims Vater begann bereitwillig zu erzählen: »In Duisburg, im Ruhrgebiet...«

Ich hörte gar nicht mehr zu.

»Spinnst du?«, zischte Sevim mir auf Deutsch zu. »Du siehst ja abartig hässlich aus und das bei deiner Verlobung.«

»Mir ist alles egal«, sagte ich abwehrend. »Für wen soll ich denn schön aussehen?«

Ich hatte das Gefühl, dass Peter mich dauernd anstarrte. Ihm war die ganze Situation sichtlich peinlich. Das gönnte ich ihm. Und Ahmet? Er nahm gar keine Notiz von mir und unterhielt sich interessiert mit den anderen Männern.

Nachdem die Gäste den Tee getrunken hatten, ergriff mein Vater das Wort. Er wirkte bedrückt. Ich sah, dass er sich unwohl fühlte. War es aus Ärger über mich oder spürte er, wie unglücklich ich war?

»Ich freue mich sehr«, sagte er, »dass ich heute mein vor sechzehn Jahren gegebenes Wort einlösen kann. Damals hatten Hüsnü und ich unsere Kinder einander versprochen. Heute ist es nun so weit. Ich bin sehr stolz darauf, einen so gebildeten und erfolgreichen Schwiegersohn zu bekommen. Wir haben jahrelang in Deutschland mit der Hoffnung gelebt, dass unsere Tochter Oya eines Tages Ahmet heiraten wird. Heute machen wir den zweiten Schritt dazu, denn der erste Schritt war das Versprechen. Ich hoffe, dass wir den dritten Schritt in dieser Runde bald feiern werden. Die Hochzeit begehen wir bei Schwager Hüsnü, wie es die türkische Sitte verlangt.«

Dann nahm mein Vater zwei Goldringe aus seiner Jackentasche und steckte erst mir, dann Ahmet einen Ring an den Finger. Ich fand den Ring abscheulich, aber ich brachte kein Wort heraus. Ahmet grinste verlegen.

Ich würdigte ihn keines Blickes.

Mutter rief uns in den Salon zum Essen. Großmutter hielt mich zurück, während sich die anderen an den festlich gedeckten Tisch setzten.

»Willst du unserer Familie Schande bereiten? Es wird dir alles nichts nützen, du heiratest Ahmet!

So ist es schließlich schon lange abgesprochen«, zischte sie.

Ich antwortete ihr nicht und ließ sie einfach stehen. Mutter hatte meinen und Ahmets Platz besonders schön geschmückt. Sie und Großmutter tischten das Essen auf. Die Suppe ließ ich unberührt zurückgehen. Mein Glas Cola fiel schäumend um. Alle taten so, als hätten sie nichts bemerkt.

Den weiteren Verlauf des Abends bekam ich nicht mehr mit. Ich war wie gelähmt. Sevim zog mich beiseite und flüsterte mir in Deutsch zu: »So geht es nicht. So ruinierst du dich. Komm morgen bei mir vorbei. Wir müssen unbedingt miteinander reden.«

Ich nickte. Insgeheim dachte ich, dass es nichts mehr zu reden gab. Schließlich war ich es ja, die verlobt wurde, und nicht sie. Ich hatte nicht einmal Lust die Geschenke auszupacken, nachdem die Gäste gegangen waren. Erschöpft legte ich mich ins Bett, bevor mir meine Familie Vorwürfe machen konnte. Ich nahm den Ring von meinem Finger. Darin war eingraviert *Ahmet.* Ich überlegte einen Moment den Ring aus dem Fenster zu werfen. Doch das wollte ich meinen Eltern nicht antun. Das erste Mal in meinem Leben empfand ich sie als meine Feinde. Sie wollten mich zu etwas zwingen, wovon sie selbst nicht überzeugt sein konnten. Ich wusste, dass sie sich in Deutschland ganz anders verhalten hätten. Ich konnte mich noch gut erinnern, wie sie sich aufgeregt hatten, als die Nachbarstochter Fatma von ihren Eltern bereits mit dreizehn Jahren verlobt wurde. Sie konnten doch nicht so schnell ihre Meinung geändert haben! Wahrscheinlich beugten sie sich dem Druck von Onkel Hüsnü. Ich hatte nicht den Mut mich gegen sie zu stellen und sie dadurch womöglich zu verlieren. Ein Leben ohne meine Eltern konnte ich mir nicht vorstellen. Ich liebte sie doch! Ohne meine Eltern war mein Leben sinnlos.

Doch was sollte aus mir werden? Gab es keinen Menschen, der mich verstand? Wenn doch Conny da wäre! Aber wahrscheinlich hätte sie mir auch nicht helfen können. Keiner konnte mir helfen. Der einzige Mensch, der das gekonnt hätte, wäre Peter gewesen, und der hatte nicht gewollt.

Erschöpft schlief ich schließlich ein. In dieser Nacht träumte ich, dass ich wieder in Deutschland wäre. Conny und ich waren auf einem riesigen Rummelplatz. Wir liefen von einem Karussell zum anderen. Überall durften wir umsonst fahren. An dem Stand mit der Zuckerwatte lehnte Christian aus meiner Klasse und sagte: »Schön, Oya, dass du wieder da bist.«

»Ich denke, ich bin für dich ein Kanakenweib«, rief ich ihm im Traum zu.

»Ach, das habe ich doch nicht so gemeint«, erwiderte er. »Hier, ich schenke dir eine besonders große Zuckerwatte.«

Ich freute mich sehr. Nie hätte ich gedacht, dass

Christian einmal so nett zu mir sein würde. Schön, dass sich die Menschen in Deutschland veränderten. Conny und ich rannten lachend zum Kettenkarussell, das uns hoch in den Himmel trug.

Noch nie hatte ich solch einen schönen Traum.

Am nächsten Morgen eröffnete uns Peter, dass seine Weihnachtsferien zu Ende gingen und er nach Deutschland zurück müsste. Über diese Nachricht war ich sogar erleichtert. Es quälte mich sein immer gleich bleibend freundliches Gesicht vor Augen zu haben. Meinen Eltern schien es auch ganz Recht zu sein, dass er abfuhr. Nur Derya heulte vor Enttäuschung. Als es Zeit wurde zum Flughafen zu fahren, sagte ich, dass ich Kopfschmerzen hätte und zu Hause bliebe.

Peter verabschiedete sich ganz herzlich von mir.

»Ich schreibe dir bestimmt bald. Halt die Ohren steif, nächstes Jahr besuche ich euch wieder.«

Dann ging er schnell weg und die ganze Familie brachte ihn zum Flughafen.

Ich legte mich ins Bett und heulte. Als ich mich etwas beruhigt hatte, rief ich Sevim an.

»Der Deutsche ist weg«, sagte ich als Erstes. »Nicht mal mit Vater hat er geredet, wie er es mir versprochen hatte.«

»Das ging aber schnell«, meinte Sevim. »Was ist denn in ihn gefahren? Der hat wohl Angst vor dir bekommen. Und was willst du jetzt machen? Du kannst doch nicht immer die Verrückte spielen.

Soll ich mal mit deinem Bruder sprechen, er macht doch einen ganz vernünftigen Eindruck?«

»Wenn du willst, aber ich glaube nicht, dass es etwas nützt.«

»Lass mich mal machen«, sagte sie ganz überzeugt. »Mach's gut, ich muss jetzt einkaufen gehen. Ich melde mich wieder.«

Der Plan

Nach Silvester brauchte ich nicht mehr in die Schule zu gehen. Ali meldete mich ab. Nun verbrachte ich Tag und Nacht in meinem Zimmer. Ich starrte aus dem Fenster, bis Großmutter Tobsuchtsanfälle bekam; ich las alte Zeitungen und hörte immer wieder meine Platten aus Deutschland. Stundenlang konnte ich mir meine Fotos aus Frankfurt und mein Poesiealbum ansehen. Alle meine Freundinnen hatten sich darin verewigt. Die Seite, auf die Peter ein Gedicht geschrieben hatte, zerfetzte ich in kleine Schnipsel und streute sie aus dem Fenster.

Nach drei Tagen rief mich Ahmet an. Er wollte wissen, wann wir mal ins Kino gehen könnten. Meine Mutter stand die ganze Zeit neben mir und drängte mich unbedingt mit ihm auszugehen. Lustlos verabredete ich mich schließlich für den nächsten Tag mit ihm.

Ahmet holte mich pünktlich zu Hause ab. Wir fuhren mit seinem Auto ins Kino. Zur Feier des Tages hatte ich ein hässliches Kopftuch umgebunden. Er bat mich es wieder abzusetzen. Das lehnte ich ab, dabei bezog ich mich auf meine Großmutter. Dagegen konnte er nichts sagen. Von dem Film bekam ich so gut wie nichts mit. Er interessierte mich auch überhaupt nicht. Ahmets Versuche mich zaghaft zu berühren, wehrte ich energisch ab.

Nach dem Kino erzählte er mir, dass sein Vater uns eine Wohnung in seinem Haus einrichten wird. Über die Einrichtung bräuchte ich mir keine Gedanken zu machen. Er wolle alles besorgen. Falls ich irgendwelche Wünsche hätte, müsste ich mich mit seiner Mutter absprechen. Die Hochzeitsformalitäten würde er auch schnell erledigen, da er beim Standesamt Bekannte hätte.

»Im Mai könnten wir heiraten, Oya. Ich freue mich schon darauf. Ich hoffe, bis dahin wirst du dich an mich gewöhnt haben.«

»Das glaube ich nicht, Ahmet«, sagte ich.

Einen Moment schwieg er betreten. Dann fragte er leise: »Warum?«

»Ich bin zum ersten Mal verlobt und bis zum Frühjahr ist die Zeit zu kurz«, sagte ich ausweichend.

»Ach, das wird schon gehen«, antwortete er schnell. »Außerdem wollen unsere Väter das Hochzeitsdatum bestimmen. Das ist ihr gutes Recht. Das war bei ihnen so und so wird es auch bei uns sein.«

»Haben meine Eltern dir verschwiegen, dass ich noch gar nicht heiraten will?«, fragte ich ihn, meinen ganzen Mut zusammennehmend.

»Oya, wenn du wüsstest, wie lange ich schon auf dich warte«, sagte er fast feierlich. »Ich bin ganz sicher, wenn du mich erst einmal richtig kennen gelernt hast, wirst du mich mögen. Ich spüre es, dass wir zusammen glücklich werden. Du wirst sehen, die Liebe kommt ganz von selbst.«

Was sollte ich darauf antworten? Dasselbe hatte fast wortwörtlich meine Mutter gesagt. Ahmet war in seiner Einstellung nicht zu verändern. Das wurde mir an diesem Abend klar.

»Ich wollte dich etwas fragen«, sagte ich, »übermorgen möchte ich Sevim besuchen. Ich hoffe, du hast nichts dagegen.«

Man konnte sehen, wie es ihm schmeichelte, dass ich ihn als meinen zukünftigen Mann zum ersten Mal für etwas um eine Erlaubnis bat. Deshalb willigte er sofort ein. Für ihn war es ein Zeichen des Einverständnisses zwischen uns. Der arme Dummkopf, wenn er gewusst hätte, was ich vorhatte.

Am nächsten Tag rief ich gleich Sevim an und verabredete mich mit ihr.

Auf dem Konsulat

Bei unserem Treffen klagte mir Sevim als erstes ihr Leid. Ihre Eltern waren in den letzten Tagen immer wieder auf meine bevorstehende Hochzeit zu sprechen gekommen. Davon begeistert wollten sie nun von Sevim wissen, wie sie zum Heiraten stünde. Dabei spielten sie auf Ali an.

Sevim sagte ihnen: »Ich finde ihn ganz nett, aber ich bin zu jung um zu heiraten. Außerdem muss Ali erst einmal fertig studieren. Ich habe keine Lust einen Studenten zu heiraten und für ihn den ganzen Tag den Haushalt zu führen.«

Sevims Augen funkelten, als sie mir das Gespräch mit ihren Eltern wiedergab.

Plötzlich meinte sie: »Oya, ich habe in der Zeitung gelesen, dass viele türkische Jugendliche wieder nach Deutschland zurück wollen. Am deutschen Konsulat stehen sie Schlange um ein Visum zu erhalten. Wollen wir auch mal dahin? Wir könnten es versuchen, vielleicht haben wir Glück.«

»Davon dürfen wir unseren Eltern aber nichts erzählen«, beschwor ich sie. »Ich hole mir für die nächsten Tage noch einmal die Erlaubnis dich zu besuchen und dann gehen wir zum deutschen Konsulat. Außerdem bringe ich den Pass von meinem Vater mit. Sicherheitshalber!«

Zwei Tage später trafen wir uns an der Bushaltestelle. Ich hatte aus der Schublade im großen Schrank den Pass meines Vaters herausgenommen und eingesteckt. Niemand hatte etwas bemerkt. Vom Taksim-Platz aus gingen wir zu Fuß zum deutschen Konsulat. Nach zwei Stunden Wartezeit in einer langen Schlange kamen wir an die Reihe.

»Was wollt ihr denn hier?«, fragte uns ein uniformierter Deutscher.

»Wir wollen nach Deutschland.«

»Das sagen alle. Geht mal zum Zimmer Nummer 14.«

In einem gläsernen Kasten mussten wir noch eine Weile warten, bis wir aufgerufen wurden. Wir gingen zum Zimmer 14. Ein Mann rief energisch: »Herein!« Sein Büro glich dem in der Frankfurter Ausländerbehörde aufs Haar.

»Was kann ich für euch tun?«

»Wir wollen wieder nach Deutschland. Wir mussten mit unseren Eltern zurückkehren, obwohl wir nicht wollten«, antwortete Sevim.

»Wie alt seid ihr denn?«, wollte der Beamte wissen.

»Sechzehn«, sagte Sevim mit fester Stimme.

»Eure Aufenthaltserlaubnis für Deutschland ist erloschen und kann nicht erneuert werden. Nach Deutschland könnt ihr nicht mehr zurück. Das geht nicht mehr. Ihr seid mit euren Eltern gekommen und diese haben euch abgemeldet. Das kann man nicht mehr rückgängig machen.«

»Aber in der Zeitung stand, dass die Deutschen türkische Jugendliche wieder reinlassen wollen«, entgegnete Sevim.

»Das steht noch nicht fest. Vielleicht in ein paar Jahren. Aber darüber kann man jetzt noch nichts sagen. Ich kann leider nichts für euch tun. Ihr werdet es aber früh genug aus den Zeitungen erfahren, ob und wann ihr eventuell nach Deutschland zurückkehren könnt. So, jetzt müsst ihr gehen, es warten noch viele Leute.«

Den Pass meines Vaters hatte ich nicht einmal herzeigen müssen. Niedergeschlagen gingen wir an der langen Schlange vorbei in Richtung Bushaltestelle.

Auf der Rückfahrt wechselten wir kein Wort. Unsere letzte Hoffnung hatte sich zerschlagen!

Im Krankenhaus

Gott sei Dank hatte man zu Hause von unserem Ausflug nichts bemerkt. Es kümmerte sich sowieso keiner um mich. Jeder in der Familie war mit sich selbst beschäftigt. Für alle schien es klar zu sein, dass ich bald heiraten werde. Nur ich konnte mich nicht damit abfinden. Nichts machte mir mehr Spaß. Noch nicht mal meine Lieblingskassetten brachten mich auf andere Gedanken. Ich hatte das Gefühl, dass ich einen Riesenknoten in mir hatte, der größer und größer wurde.

Meine Mutter spannte mich mehr als sonst in den Haushalt ein, da sie ständig Kopfschmerzen hatte. Bei jedem Handgriff sagte sie, dass ich das bald, als Ehefrau von Ahmet, allein können müsste. Auch Großmutter nahm mich in die Mangel. Jeden Abend musste ich an meiner Aussteuer sitzen, Initialen einsticken, Ränder umhäkeln und die Knopflöcher anbringen. Wortlos ließ ich alles über mich ergehen. Von Deutschland bekam ich auch keine Post mehr. Weder Frau Schneider noch Conny schrieben mir. Von Peter ganz zu schweigen. Irgendwie hatte ich doch gehofft, dass er mir in einem Brief sein Verhalten erklären würde. Von Conny war die letzte Nachricht, dass sie sich verliebt hätte. Die Glückliche war frei.

Nachts hatte ich schreckliche Alpträume. Morgens quälte ich mich dann aus dem Bett. Wenn ich frühstücken sollte, wurde mir übel. So ging es Tag für Tag. Ich wurde immer blasser und dünner. Allmählich fing meine Mutter an sich Sorgen zu machen. Meine Großmutter riet ihr mich zu einem »üfürükcü«, auf Deutsch zu einem »Bläser«, zu bringen. Er sollte beten und mich dabei anhauchen, damit ich wieder die alte, muntere Oya werde. Meine Großmutter kannte jemanden am Bosporus, der auf solche Fälle spezialisiert war. Er sollte mir meinen Trübsinn ausblasen.

Meine Mutter ging sofort auf Großmutters Vorschlag ein.

Als wir vor dem Haus ankamen, standen bereits mehrere Frauen davor. Großmutter übernahm die Regie.

»Kommt«, sagte sie zu uns, »ich kenne ihn persönlich. Sonst stehen wir hier ewig.«

Der »Bläser« war ein alter Mann mit weißem Bart und hässlichem Gesicht. Er stank furchtbar aus dem Mund nach Raki. Dieser Besoffene sollte mich heilen? Der alte Mann fragte meine Großmutter, was mir fehle.

»Schlechte Laune, Appetitlosigkeit und so fort. Sie kennen doch die jungen Mädchen«, erklärte meine Großmutter und seufzte theatralisch.

»Das haben wir gleich«, sagte der Alte und blätterte in einem arabisch geschriebenen Buch. Er murmelte irgendwelche Wörter und legte seine Hand auf meinen Kopf. Dann blies er seinen stinkenden Atem mehrmals über mich hinweg. Mir wurde ganz schlecht. Damit war das Theater beendet. Großmutter schob ihm viele Lira-Scheine zu, die er schnell in seinem schmuddeligen Umhang verschwinden ließ.

»Schwester, es sind schwere Zeiten, soll ich nur Brot und Wasser haben?«, sagte er und streckte die Hand aus. Mutter legte noch ein paar Scheine dazu.

»Eure Kleine wird bald wieder ein braves Täubchen werden und eine fügsame Ehefrau dazu«, murmelte er dann zufrieden gestellt.

Zu Hause horchte ich in mich hinein, ob sich nicht schon etwas in mir verändert hatte. Meine Abneigung gegenüber Ahmet war jedoch noch die gleiche. Er war mir vollkommen gleichgültig und ich wollte ihn nicht heiraten.

Am Abend stattete Ahmet meinen Eltern einen Besuch ab und bat mit mir ausgehen zu dürfen. Meine Eltern strahlten. So hatten sie sich den zukünftigen Schwiegersohn vorgestellt! Für Derya hatte er sogar eine Tafel von dieser ungenießbaren türkischen Schokolade mitgebracht. Derya sagte frech: »Ich esse nur deutsche Schokolade oder Gummibärchen mit Cola.«

An diesem Abend wollte Ahmet mir etwas Besonderes bieten. Wir gingen ins Café Bulvar in der

Nähe vom Taksim. Es waren sehr viele Touristen, allein stehende Männer und Pärchen da. Frauen ohne Begleitung sah man nicht.

Das schummrige Licht und die leise Musik veranlassten Ahmet mit gesenkter Stimme zu flüstern: »Meine kleine Oya, bald sind wir ein Paar. Was wünschst du dir als Erstes, einen Sohn oder eine Tochter? Ich würde mich sehr freuen, wenn du mir einen Sohn schenken würdest. Aber auch eine Tochter ist Gottes Gabe, wir müssen sie akzeptieren.« Dabei ergriff er meine Hand.

Plötzlich wurde mir übel. Ich rannte zur Toilette, er hinterher. In der Türkei begleiten Männer die Frauen bis zur Toilette, damit ihnen unterwegs nichts passiert. Ich verrammelte die Tür hinter mir. Mir war so schlecht. Ich merkte noch, wie ich in ein schwarzes Loch fiel. Dann wusste ich nichts mehr.

In einem Bett im Krankenhaus wachte ich wieder auf.

»Sie wird wach, benachrichtigen Sie die Familie«, hörte ich eine Stimme sagen.

Als ich meine Augen endlich öffnete, sah ich in das Gesicht meines Vaters.

»Oya, was tust du uns an«, sagte er, »wir machen uns solche Sorgen um dich. Du warst für Stunden bewusstlos.«

Schnell schloss ich wieder die Augen. Von weitem hörte ich meine Eltern sprechen: »Was haben wir nur falsch gemacht?«

»Nichts«, sagte Ahmet zu ihnen, »sie ist nur in Ohnmacht gefallen, weil die Luft im Lokal so stickig war.«

Im Halbschlaf hörte ich, wie die Türe aufging und eine weibliche Stimme sagte: »Die Besuchszeit ist zu Ende, bitte gehen Sie jetzt.«

Es war die Ärztin, die sich, als alle weg waren, über mich beugte und fragte: »Oya, wie geht es dir denn? Erzähl mal, was war denn los?«

Langsam öffnete ich die Augen. An meinem Bett saß eine sympathische Frau um die Vierzig.

»Ich bin die Leiterin der psychologischen Abteilung hier an der Klinik. Du kommst doch aus Deutschland. Ich habe ebenfalls in Deutschland gelebt. Wenn es dir lieber ist, können wir deutsch miteinander sprechen.«

»Ich will Ahmet nicht heiraten und ich will zurück nach Frankfurt«, brach es aus mir heraus. Ich sprach tatsächlich Deutsch.

»Aah, ich kenne Frankfurt. Kürzlich war ich dort auf einer Tagung.«

»Meine Eltern wollen mich mit meinem Cousin verheiraten. Die Hochzeit soll schon im Sommer stattfinden. Im deutschen Konsulat konnten sie mir auch nicht helfen«, sprudelte ich los.

Die Ärztin sah mich mitfühlend an und sagte dann: »Oya, ich gebe dir jetzt eine Spritze und danach wirst du tief und fest schlafen. Keine Angst, es tut nicht weh. Wenn du wieder aufwachst, sieht die Welt ganz anders aus. Dann werden wir uns noch einmal in Ruhe miteinander unterhalten. Jetzt wünsche ich dir eine Gute Nacht. Keine Sorge, ich bleibe in deiner Nähe und werde nach dir schauen.«

Sie gab mir eine Spritze und ich schlief prompt ein.

Ich blieb drei Tage im Krankenhaus. Meine Eltern besuchten mich jeden Tag und brachten mir frisches Obst. Sie sahen traurig, aber auch vorwurfsvoll aus. Meine Großmutter brachte mir Teile meiner Aussteuer mit, die sie inzwischen in meinen Lieblingsfarben bestickt hatte.

Am Tag vor meiner Entlassung wollte mich die Ärztin noch einmal sprechen.

In ihrem Zimmer tranken wir zunächst einen Tee.

»Oya, was willst du jetzt machen?«, fragte sie dann. »Ich habe lange über dich nachgedacht.«

»Ich will zurück nach Deutschland zu meinem Bruder und zu meiner Schwägerin.«

»Du weißt, dass es nicht geht«, sagte die Ärztin geduldig. »Die Deutschen haben die Grenzen für uns Türken dicht gemacht. Es gibt kein Zurück mehr. Du musst dich damit abfinden. Du musst anfangen dich auf ein Leben in der Türkei einzurichten. Ist das denn so schlimm?«

Sie sah mich prüfend an und ich versuchte krampfhaft nachzudenken. Ich konnte es einfach nicht erklären, warum es mir so schwer fiel.

Inzwischen sprach die Ärztin weiter: »Gestern

habe ich übrigens mit deinem Verlobten gesprochen. Er hat mir gut gefallen. Ich glaube, er meint es ehrlich mit dir.«

»Aber er ist doch mein Cousin! Und ich liebe ihn nicht!«

»Oya, hör mal«, sagte die Ärztin bestimmt, »das ist doch nicht der wahre Grund. Du bist einfach gegen ihn, weil man ihn dir aufgedrängt hat. Ist es nicht so?« Sie schaute mich eindringlich an.

»Vielleicht ist es so«, sagte ich zögernd. »Vielleicht möchte ich einfach ein Recht auf mich selbst haben.«

»Ich verstehe dich«, hörte ich die Ärztin sagen. Sehen konnte ich sie nicht mehr, weil meine Augen voller Tränen standen. »Du möchtest gute und schlechte Erfahrungen selber machen und daraus lernen.«

»Schlechte Erfahrungen habe ich schon gemacht«, sagte ich leise, »mit einem Jungen namens Peter, ich glaube, den habe ich geliebt. Jetzt kann ich doch nicht gleich meinen Cousin lieben. Das geht doch nicht.«

»Was ist denn Liebe für dich?«, fragte die Ärztin sanft.

»Wenn ein Mann ganz für mich da ist. Mich niemals betrügt. Wenn ich mit ihm über alles sprechen kann...«

Sie unterbrach mich: »Aber das will Ahmet ja. Er will dir ein treuer, liebevoller Gatte sein. Schau mal, ich habe in Deutschland studiert und erlebt, wie deutsche Ehen kaputt gehen! Ehen, die alle in freier Entscheidung geschlossen wurden. Danach sind die deutschen Frauen alleine, oft sogar sehr alleine. Der Familienzusammenhalt ist nicht so groß wie bei uns. Wir Türken sind es nicht gewohnt alleine zu leben. Wir fühlen uns nur wohl, wenn wir alle zusammen sind. Ohne die Familie ist unser Herz krank.«

Jetzt konnte ich die Tränen nicht mehr länger zurückhalten. Nein, meine Familie wollte ich nicht verlieren. Alleine sein? Davor hatte ich Angst. Und Ahmet war doch wenigstens ein Teil meiner Familie. Nur die Liebe, die hatte ich mir anders vorgestellt. Aber vielleicht gab es sie gar nicht so, wie sie in den Romanen und Illustrierten geschildert wurde...?

»Hast du denn schon mal ernsthaft mit Ahmet geredet?« Mit dieser Frage riss mich die Ärztin aus meinen Gedanken.

»Nein«, gab ich zu, »bis jetzt habe ich mich dagegen gesträubt.«

»Siehst du! Erst musst du ihn einmal kennen lernen! Unsere türkischen Männer sind keine aufgeschlagenen Bücher, in denen man sofort lesen kann. Erst muss man ihre Sprache lernen. Sprich einmal ausführlich mit Ahmet. Ihr seid jetzt verlobt. Die Verlobungszeit dient dem gegenseitigen Kennenlernen und soll helfen Vertrauen füreinander aufzubauen. Man muss Geduld miteinander haben.«

Vielleicht hatte sie Recht. Ich konnte darauf nichts antworten.

Etwas verwirrt stand ich auf.

»Ich wünsche dir alles Gute für die Zukunft«, sagte sie, »wenn du Probleme haben solltest, kannst du immer hier vorbeikommen.«

Am nächsten Tag wurde ich entlassen.

Das Leben geht weiter

Als ich aus dem Krankenhaus nach Hause kam, wusste ich nicht, wie es für mich weitergehen sollte. Weit und breit schien es niemanden zu geben, der mir helfen konnte. Nach dem Gespräch mit der Ärztin sah es so aus, als ob ich mich in mein Schicksal fügen müsste. Auch der Brief von Frau Schneider, der mich bei meiner Rückkehr aus dem Krankenhaus erwartete, ließ keinen anderen Ausweg erkennen. Nach der Verlobung hatte ich ihr meine Situation in einem langen Brief geschildert und sie eindringlich gebeten mich nach Deutschland zu holen. Ich konnte mir einfach nicht vorstellen, dass das deutsche Konsulat mir ein Visum verweigern würde, wenn mich meine Lehrerin aus Deutschland zu sich einlädt. Dort hätte sie mir sicher weitergeholfen. Doch in ihrem Brief schrieb sie ganz deutlich, dass dies ganz unmöglich sei. Sie möchte sich auf keinen Fall gegen meine Eltern stellen. Ich könne sie zwar besuchen, aber nicht bei ihr bleiben. Ich bekäme von den Behörden weder eine Aufenthalts- noch eine Arbeitserlaubnis. Auch mit meinem Bruder Avni und seiner Frau Ayten hatte sie über mich und Ahmet gesprochen. Ayten kennt Ahmet von Kind auf, da sie Cousins sind.

Ahmet sei ein moderner Türke, bei dem es eine Frau gut habe, ließ mir mein Bruder ausrichten. Ich sollte keine Angst haben, mit ihm könnte ich über alles reden. Ayten wollte mir bald selber schreiben.

Meine Eltern waren in den nächsten Tagen sehr lieb zu mir. Sie betrachteten meinen Zusammenbruch als eine vorübergehende körperliche Schwäche, die bei jungen Mädchen vorkommen kann. Meine Mutter päppelte mich auf. Sie kochte mein Lieblingsessen: Spaghetti mit Tomatensauce. Sogar die Großmutter nervte mich nicht mehr mit meiner Aussteuer. Wenn wir abends zusammensaßen, erzählte sie uns Geschichten aus ihrer Kindheit. Ein wenig begann ich zu genießen, dass sich alles um mich drehte.

Drei Tage nach meiner Rückkehr aus dem Krankenhaus besuchte mich Ahmet mit seinen Eltern. Er sah verlegen aus. Die Eltern ließen uns allein.

»Wie geht es dir? Oya, ich habe mir Sorgen um dich gemacht«, sagte er schüchtern. »Ich hoffe, du wirst bald wieder ganz gesund.« Mit diesen Worten zog er ein kleines Päckchen aus seiner Jackentasche. »Hier, ich habe dir eine Kleinigkeit mitgebracht. Ich hoffe, es gefällt dir.«

Neugierig öffnete ich das Päckchen. Darin lagen wunderschöne lange, goldene Ohrringe. Ich war verwirrt. So etwas Schönes hatte ich noch nie geschenkt bekommen.

»Hast du sie selber ausgesucht?«, fragte ich verblüfft.

»Ich habe den ganzen Tag im Basar nach Goldohrringen gesucht, bis ich endlich diese fand. Ich freue mich, dass sie dir gefallen.« Ahmet strahlte vor Stolz. »Wenn du wieder ganz gesund bist und Lust dazu hast, möchte ich dich gerne mit den neuen Ohrringen in ein schönes Restaurant auf der asiatischen Seite einladen. Dann kannst du auch deine neue Umgebung kennen lernen, denn unser Haus liegt ganz in der Nähe. Also, werde recht schnell gesund.«

In diesem Augenblick standen Ahmets und meine Eltern wieder in der Türe und schauten uns erwartungsvoll an.

Ich sagte nichts.

Als Ahmet und seine Eltern gegangen waren, stürzte Derya ins Zimmer und rief: »Zeig mal, was er dir mitgebracht hat!«

Sie nahm die Ohrringe in die Hand und hätte sie am liebsten gleich behalten. Ich hätte sie ihr gerne geschenkt. Auch Ali, der dazu kam, war sehr beeindruckt: »Da hat sich mein zukünftiger Schwager aber mächtig ins Zeug gelegt. Solch wertvollen Schmuck hat Mutter nicht.«

Als Vater am Abend nach Hause kam, hatte ich gleich das Gefühl, dass etwas Besonderes passiert war. Er strahlte nämlich übers ganze Gesicht. Er lief durch die Wohnung und trommelte die Familie zusammen. Als alle versammelt waren, zog er einen Brief aus der Tasche und sagte: »Heute habe ich Nachricht erhalten, dass unsere Rentengelder aus Deutschland abgeschickt worden sind. Endlich! Es wurde auch höchste Zeit!«

Mein Bruder nahm Vater den Brief aus der Hand und versuchte darin zu lesen.

»Frau, mach eine Flasche Raki auf«, rief mein Vater, »jetzt will ich mit Ali auf die Zukunft anstoßen.«

Er ging auf ihn zu, klopfte ihm auf die Schulter, dass es richtig klatschte, und sagte mit einem tiefen Seufzer: »Wenn ich noch etwas Geld reinstecke, kann ich den Supermarkt halten. Dann ist doch nicht alles umsonst gewesen. Und Hüsnü kann ich endlich das Geld zurückgeben, das er uns geliehen hat.«

Sein Gesicht drückte Erleichterung aus. Dann sah er uns Frauen an und rief: »Für euch habe ich Baklava mitgebracht. Oya, meine Tochter, sei glücklich, jetzt können wir deine Hochzeit feiern.«

Die Männer tranken Raki und wir Frauen aßen Baklava, die Süßigkeiten.

Zum ersten Mal fühlte ich mich wohl zu Hause, weil alle fröhlich waren.

Am nächsten Tag kam der angekündigte Brief von Ayten. Darin erinnerte sie mich, dass sie erst siebzehn Jahre alt war, als sie mit meinem Bruder Avni verheiratet wurde. Das war von den beiden Familien so abgesprochen und Ayten hatte keine Chance gehabt sich dagegen zu wehren. Sie schrieb, dass sie Glück gehabt habe mit meinem Bruder.

»Inzwischen lässt er mich sogar allein zu meinen Freundinnen gehen«, schrieb sie, »ja, es ist ihm auch Recht, wenn wir mit dem ersten Kind noch etwas warten. Natürlich schütteln darüber die Verwandten den Kopf. Aber das ist uns gleich.«

Ja, Ayten hat gut lachen, das geht in Deutschland, aber nicht hier.

»Wenn du weißt, was du willst«, schrieb sie, »dann wirst du dich bei Ahmet schon durchsetzen können. Aber sich einer Heirat mit aller Gewalt zu widersetzen kann ich dir nicht raten. Deine Eltern wären sehr enttäuscht. Und was willst du ohne eine gute Berufsausbildung in der Türkei machen? Du könntest nur brav zu Hause sitzen und darauf warten, dass ein Fremder um deine Hand bittet. Du kennst die Türkei nicht. Dort kannst du nicht wie in Deutschland als Frau unverheiratet alleine leben. Die Nachbarn würden sich den Mund über dich zerreißen. Du würdest nicht mal eine Wohnung finden. Immerhin kennst du Ahmet und seine Familie. Ich sage dir aus eigener Erfahrung, die Liebe kommt später ganz von selbst. Glaube mir! Übrigens: zu deiner Hochzeit kommen wir ganz bestimmt. Wir werden diesen Tag zum schönsten deines Lebens machen.«

Aytens Brief beschäftigte mich noch lange.

Am nächsten Sonntag holte mich Ahmet mit dem Auto ab. Es war ein schöner Tag, fast frühlingshaft, obwohl es erst Februar war. In Istanbul ändert sich das Wetter fast täglich. Wir kurbelten die Fensterscheiben herunter und fuhren ganz gemütlich los. Ich war froh endlich mal aus dem Haus zu kommen. Ich genoss die Fahrt über die Autobahn nach Asien. Dort führte Ahmet mich in ein vornehmes Restaurant am Meer. Er hatte sogar einen Tisch reservieren lassen. Von hier aus hatte man einen wunderbaren Blick über das Meer. Wir waren in Moda, einem der vornehmsten Viertel Istanbuls. Fünf Kellner bedienten uns gleichzeitig. Auf unserem Tisch standen Lilien und das mitten im Winter! Auf großen Silbertabletts brachten uns die Kellner köstliche Vorspeisen. Ich durfte auswählen und kostete von allem. Ahmet bestellte Wein. Zum ersten Mal in meinem Leben trank ich Alkohol. Mir wurde ganz leicht. Ahmet erzählte lustige Geschichten über seine Schulzeit und ich musste dauernd kichern.

»Oya«, sagte Ahmet plötzlich, »weißt du, dass du ganz anders bist als die meisten Mädchen. Mit dir kann man sich über alles unterhalten.«

Ich merkte, dass ich mich darüber ungemein

freute. Außerdem gefiel mir, dass Ahmet mich wie eine Erwachsene behandelte.

Nach dem Essen promenierten wir am Kai. Der frische Wind tat mir gut. Ahmet schlug vor in das Haus seiner Eltern zu fahren um uns die neue Wohnung anzusehen.

Ich erschrak. An die Heirat hatte ich heute Nachmittag gar nicht mehr gedacht. Ich wurde ganz still. Ahmet ergriff meine Hand und drückte sie sanft: »Oya, ich will dich nicht zu der Heirat drängen. Wir können uns Zeit lassen einander richtig kennen zu lernen. Wenn du willst, können wir noch mit der Hochzeit warten.«

Erleichtert stieg ich in sein Auto.

Tante Hatice und Onkel Hüsnü empfingen uns herzlich. Über meine Krankheit verloren sie kein Wort. Tante Hatice küsste mich liebevoll auf beide Wangen: »Meine Tochter, sei willkommen.«

Stolz zeigten Tante Hatice und Onkel Hüsnü mir die Wohnung, die sie für uns im zweiten Stock ihres Hauses renoviert hatten. Es war eine Vierzimmerwohnung mit Küche, Bad und Balkon. Der Balkon war das Schönste an der Wohnung. Man konnte weit auf das Marmarameer hinaussehen.

In der Wohnung standen noch keine Möbel. »Die müsst ihr euch selbst aussuchen«, sagte Onkel Hüsnü. »Das hat ja noch Zeit.«

Tante Hatice ging mit mir in die Küche, die bereits eingerichtet war. Sie war komplett aus Deutschland gekommen. So eine Küche hatte ich noch nirgendwo gesehen. Alle Arbeitsplatten waren aus Marmor. Spülmaschine, Kühlschrank, Waschmaschine standen in Reih und Glied.

»Schau mal«, sagte Tante Hatice und öffnete die Backofentür, »das ist ein Mikrowellenherd. Wenn das Essen gar ist, ertönt eine Melodie. Was meinst du, wie dir das Kochen Spaß machen wird. Ich werde dir dabei helfen.«

Während wir zu den Männern auf den Balkon zurückgingen, legte Tante Hatice den Arm um mich.

»Oya, ich freue mich, dass du meine Tochter wirst. Ahmet ist mein einziger Sohn. Dir gebe ich ihn gerne. In mir sollst du eine zweite Mutter finden. Denk daran, dass du immer mit allen Problemen zu mir kommen kannst. Auch wenn du Sorgen mit Ahmet hast.«

Ihre Herzlichkeit rührte mich an.

»Ahmet, bevor du Oya wieder nach Hause fährst, zeigen wir ihr unser Konfektionsgeschäft«, meinte Onkel Hüsnü, als wir auf den Balkon traten. »Es ist ja nicht weit von hier entfernt.«

Zu viert fuhren wir los. Onkel Hüsnü meinte unterwegs augenzwinkernd: »Na, Oya, vielleicht findest du etwas Hübsches in meinem Laden.«

Mit Erstaunen sah ich, dass Onkel Hüsnü auch einige modische Pullis in seinem Geschäft hatte. Damals hatte ich ja nur die Schulkleidung wahrgenommen. Auf einmal schoss mir eine Idee durch den Kopf. Vielleicht konnte ich meinen Onkel beim

Einkauf der Kleidung beraten?! Aus dem Geschäft könnte man eine schicke Boutique machen!

»Onkel Hüsnü, wo kaufst du denn die Sachen ein? In Deutschland trägt man zur Zeit wieder Miniröcke. Die vermisse ich hier. Und habt ihr denn gar keinen Modeschmuck?«

»Was meinst du damit?«, fragte Tante Hatice.

»Glasketten, Glitzerohrringe, Anstecknadeln. Gürtel wären auch nicht schlecht. Jedenfalls gibt es so etwas in deutschen Boutiquen.«

»Das ist eine gute Idee! So ein Angebot gibt es hier in unserem Viertel noch nicht.« Onkel Hüsnü schien ganz begeistert. »Sag mal, Oya, hättest du nicht Lust mir im Laden zu helfen? Ich sehe, du hast Geschmack.«

Mir wurde ganz heiß vor Freude.

»Onkel Hüsnü, dazu hätte ich riesige Lust«, sagte ich schnell. »Am liebsten würde ich morgen schon anfangen.«

»Gut, ich werde heute Abend mit deinen Eltern sprechen«, sagte Onkel Hüsnü. »Wir können ja nächste Woche zusammen zum Schmuckgroßhandel fahren. Da kannst du schon einmal deinen guten Geschmack beweisen und mich bei der Auswahl beraten«, schlug er vor.

Als Ahmet mich abends nach Hause fuhr, ging es mir wesentlich besser. Die Aussicht in Onkel Hüsnüs Laden mitzuarbeiten machte mich froh. Ich war mir sicher, dass meine Eltern damit einverstanden sein würden.

Brief nach Deutschland

Liebe Conny,

ich habe lange nichts mehr von mir hören lassen. Ich hatte viele Probleme. Doch alles sieht anders aus als vor einem halben Jahr. Stell dir vor: Ich werde heiraten. Du wirst sicher fragen, ob ich verrückt geworden bin? Manchmal war ich nahe daran. Auf einmal sollte ich nicht mehr in die Schule gehen und nichts mehr lernen. An Silvester wurde ich dann ohne meine Zustimmung mit Ahmet, meinem Cousin, verlobt. Ich war ihm schon seit meiner Kindheit versprochen, nur wusste ich nichts davon. Wenn ich das geahnt hätte, wäre ich nie freiwillig mit meinen Eltern in die Türkei zurückgegangen. Aber wenn man erst einmal in diesem Land ist, kommt man nicht mehr heraus. Für die Deutschen ist man gestorben. Meine Freundin Sevim und ich haben alles Mögliche probiert um wieder zurückzukommen. Hoffnungslos.

Im Grunde blieb mir nichts anderes übrig, als in die Heirat einzuwilligen. Das ist mir im Krankenhaus klar geworden. Ich hatte nämlich einen totalen Zusammenbruch. Eine nette Ärztin im Krankenhaus, die sogar in Deutschland studiert hat, unterhielt sich länger mit mir. Sie machte mir klar, dass ich gar keine andere Möglichkeit hätte, als in die Heirat einzuwilligen. In die Schule sollte ich nicht mehr, eine Ausbildung kann man hier ohne Abitur als Frau kaum machen, arbeiten gehen kommt nicht in Frage und den ganzen Tag zu Hause sitzen um die Hausfrau für meine Familie zu spielen, dazu hatte ich nun wirklich keine Lust. Die Ärztin sagte, ich müsste mich mit den Verhältnissen in der Türkei abfinden und daraus etwas machen.

Als ich Ahmet etwas näher kennen lernte, fand ich ihn ganz angenehm. Meine große Liebe ist er nicht. Aber gibt es die überhaupt im Leben? Bei Ahmet bin ich mir wenigstens sicher, dass er alles tun wird, damit es mir gut geht. Dreimal in der Woche arbeite ich bei meinem zukünftigen Schwiegervater, Onkel Hüsnü, in seinem Konfektionsladen. Ich habe inzwischen fast eine richtige Mode-Boutique daraus gemacht. Ich darf den Schmuck beim Großhändler aussuchen und ihn im Schaufenster dekorieren. Manchmal kommen auch deutsche Touristen in den Laden, da kann ich dann meine Sprachkenntnisse anbringen. Stell dir vor, ich hätte einen Jungen aus dem Dorf heiraten müssen. Dann wäre ich mit Sicherheit das Dienstmädchen meiner Schwiegereltern geworden.

Wir werden eine wunderschöne Wohnung haben, von der aus man das Meer sehen kann. Jetzt das Wichtigste: Ich habe meine Hochzeit extra in die deutschen Sommerferien gelegt, damit du kommen kannst. Frau Schneider wird auch kommen. Vielleicht kann sie dich im Auto mitnehmen. Conny, bitte komm. Das ist mein größter Wunsch. Vergiss mich nicht. Wenn du wüsstest, wie oft ich an dich und Deutschland denke.

Güle, güle – Tschüss

deine Oya